#국어성취도평가
#실전모의고사

HME
국어 학력평가

Chunjae
Maketh
Chunjae

▼

HME 국어 학력평가 3학년

편집개발 김동렬, 원명희, 김한나, 김주남, 안정아
디자인총괄 김희정
표지디자인 윤순미, 강태원, 김지현
내지디자인 박희춘, 이혜진, 배미현
제작 황성진, 조규영

발행일 2021년 8월 1일 초판 2022년 8월 1일 2쇄
발행인 (주)천재교육
주소 서울시 금천구 가산로9길 54
신고번호 제2001-000018호
고객센터 1577-0902
교재 구입문의 1588-5566

※ 정답 분실 시에는 천재교육 홈페이지에서 내려받으세요.
※ KC 마크는 이 제품이 공통안전기준에 적합하였음을 의미합니다.
※ 주의
책 모서리에 다칠 수 있으니 주의하시기 바랍니다.
부주의로 인한 사고의 경우 책임지지 않습니다.
8세 미만의 어린이는 부모님의 관리가 필요합니다.

HME 국어 학력평가

HME 국어 학력평가는 초등 국정 교과서를 집필하시는 교수 분들을 중심으로
〈초등 국어 학력평가 문항 개발 연구 위원회〉가 평가 문항을 개발하고
천재교육에서 평가를 주관하는 종합 국어 능력 측정 시험입니다.

초등 국어 학력평가 문항 개발 연구 위원회

- **책임 연구원** 이경화(한국교원대 교수)
- **공동 연구원** 최규홍(진주교대 교수), 김상한(한국교원대 교수), 김혜선, 최종윤, 박혜림(한국교원대 교수)
- **출제진**
  초등국어교육 박사
  최종윤, 송민주, 신윤경, 천효정, 박혜림, 안부영, 이근영, 신선희, 김혜선, 하근회, 김지영, 최규홍, 김상한

  초등국어교육 박사 과정
  진솔, 김정은, 장동민, 김은지

  초등국어교육 석사
  김은선, 김미애, 이영신, 김문화
- **검토진**
  교수
  이수진, 전제응, 이창근, 이경남, 최민영, 김태호

  초등국어교육 전공 박사 과정
  백희정, 배재훈

HME 국어 학력평가 안내

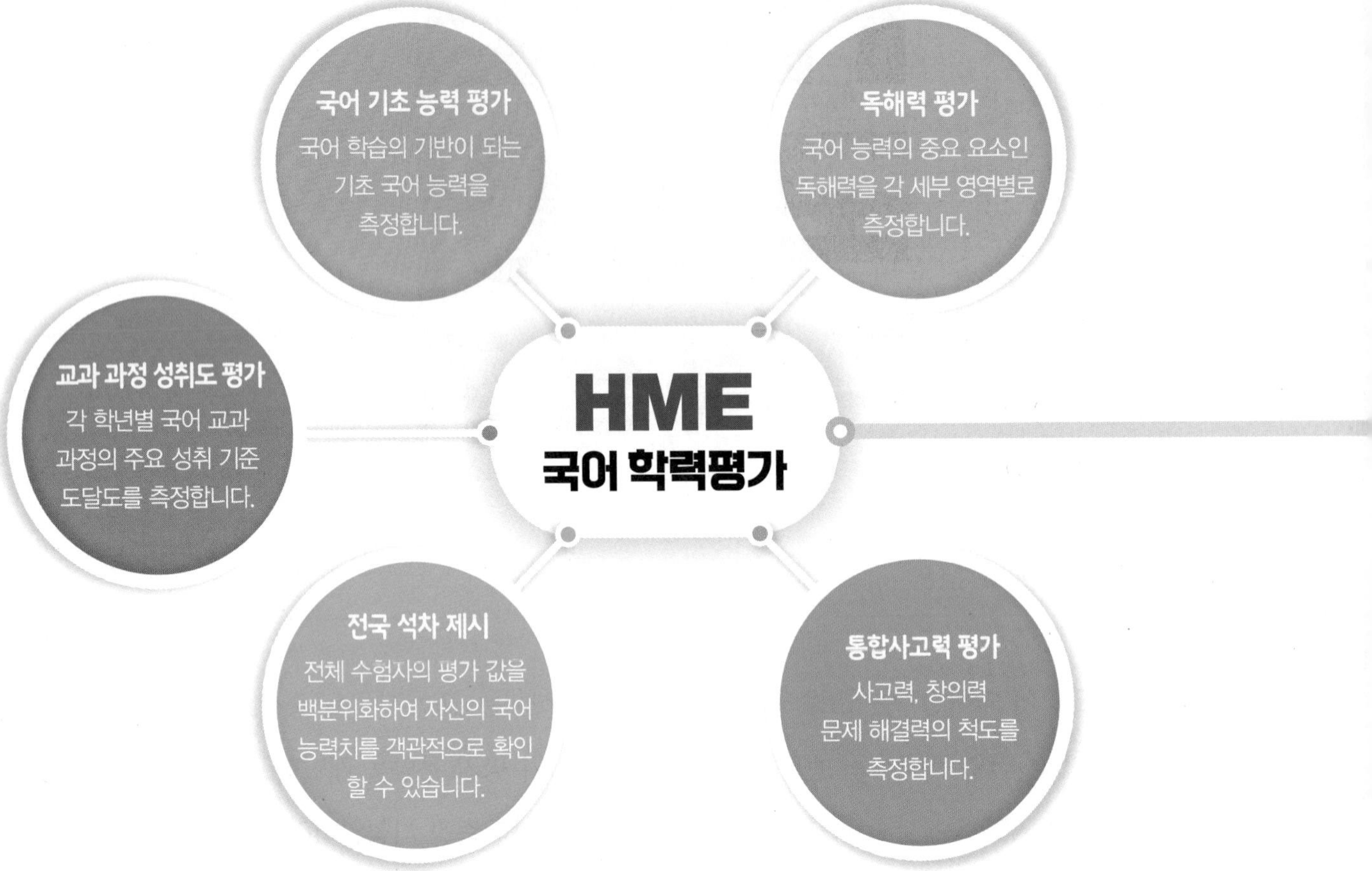

국어 기초 능력 평가
국어 학습의 기반이 되는 기초 국어 능력을 측정합니다.

독해력 평가
국어 능력의 중요 요소인 독해력을 각 세부 영역별로 측정합니다.

교과 과정 성취도 평가
각 학년별 국어 교과 과정의 주요 성취 기준 도달도를 측정합니다.

HME 국어 학력평가

전국 석차 제시
전체 수험자의 평가 값을 백분위화하여 자신의 국어 능력치를 객관적으로 확인할 수 있습니다.

통합사고력 평가
사고력, 창의력 문제 해결력의 척도를 측정합니다.

종합 국어 능력 수준 5단계 측정

성적	수준 구분	백분위
최우수	기대 성취도 이상의 국어 활용 능력을 보이며 통합 사고력 및 심화 독해력까지 매우 뛰어난 수준임.	1~10% 내외
우수	기대 성취도 이상의 국어 활용 능력을 보이며 통합 사고력 및 심화 독해력이 우수한 수준임.	11~20% 내외
보통	해당 학년의 기대 성취도에 부합하는 국어 구사 능력을 보임.	21~35% 내외
기초	해당 학년에 필수적인 국어 활용 능력을 갖추고 있으나 노력이 필요함.	36~50% 내외
노력	해당 학년에 필수적인 국어 활용 능력에 미달. 독해, 어휘, 문법 등 기초 국어 학습이 필요함.	51% 이하

※성적 측정 백분위는 학년별, 연도별로 기준치가 달라집니다.

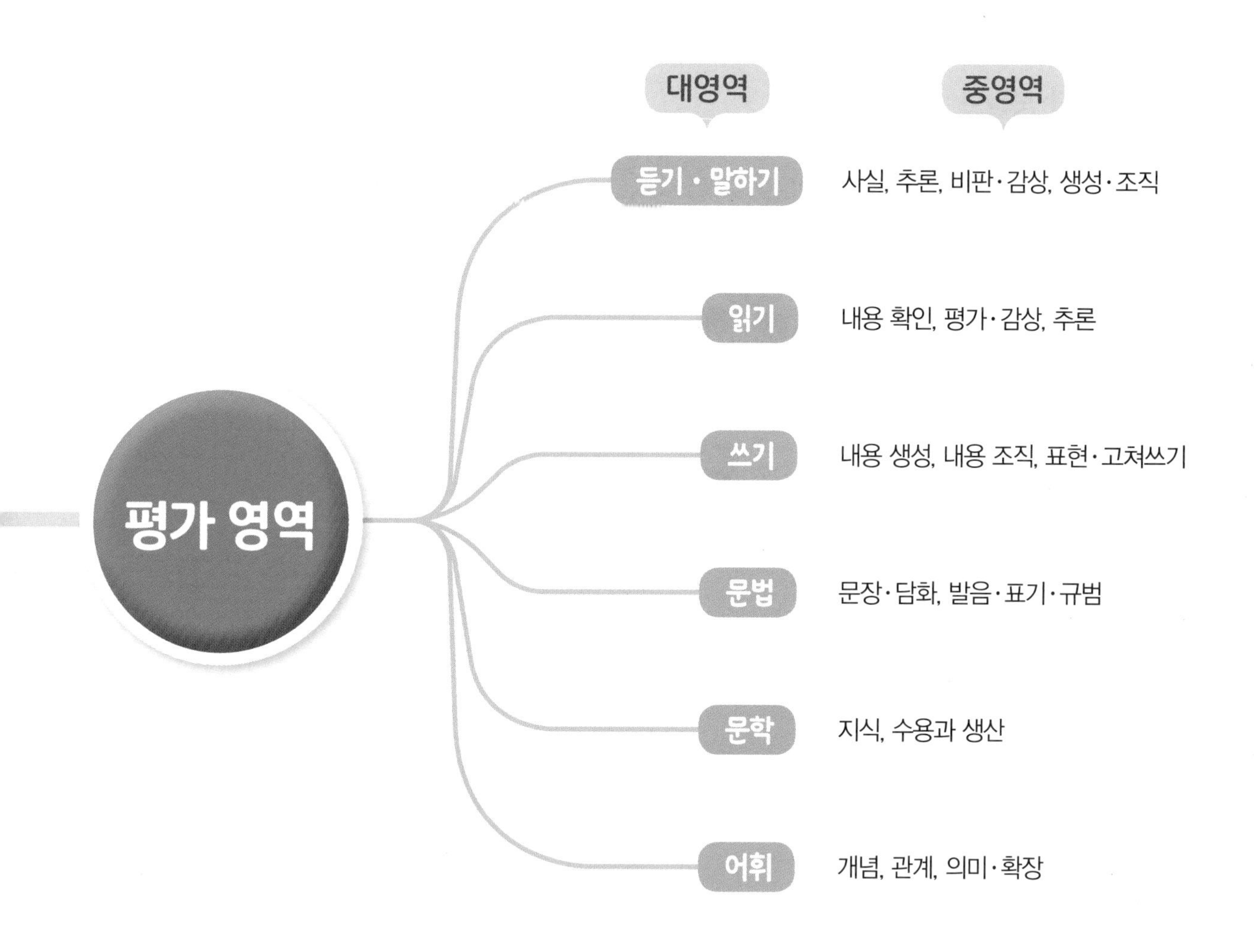

종합 독해력 5단계 측정

HME 국어 학력평가에서 독해력 측정에 필요한 평가 요소를 세부 영역별로 분석하여 학생의 독해력 수준과 지도 방향을 제시합니다.

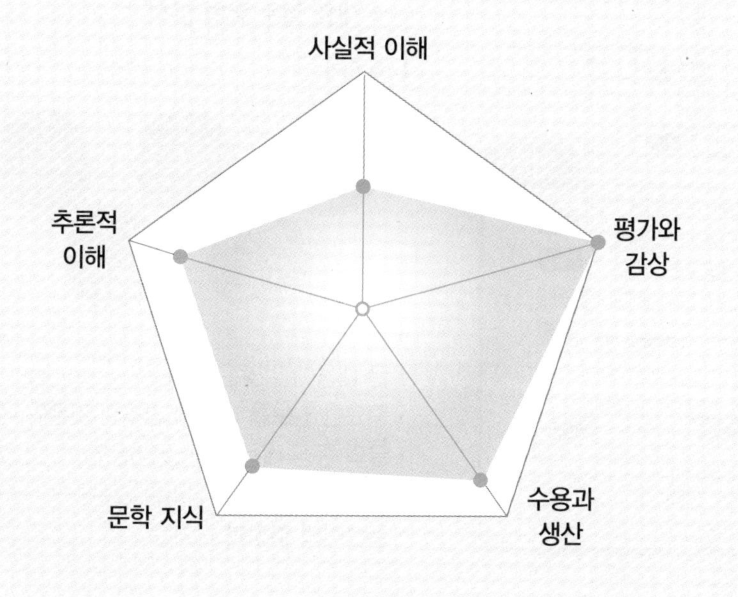

독해력 총점	45점 / 58점

독해의 유형을 다섯 가지 세부 영역으로 구분하여 나에게 익숙한 독서 방법과 보충해야 할 독해 방법을 안내합니다.

지도 방향 예

글의 내용을 요약하는 데 익숙하지 않습니다. 글에서 중요한 정보와 그렇지 않은 정보를 선별하며 읽어 보세요.

HME 국어 학력평가

교재 구성

평가 영역 분석

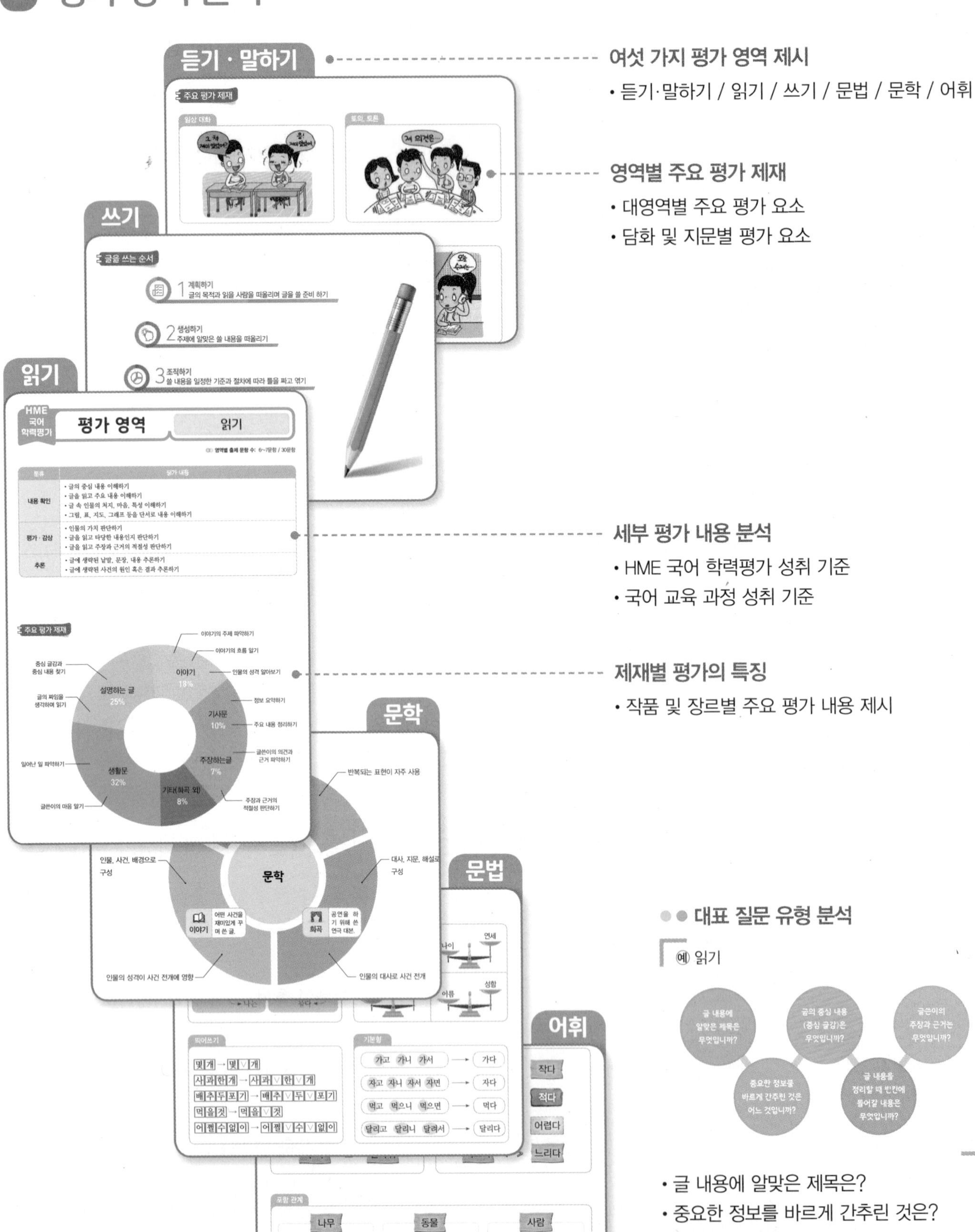

여섯 가지 평가 영역 제시
- 듣기·말하기 / 읽기 / 쓰기 / 문법 / 문학 / 어휘

영역별 주요 평가 제재
- 대영역별 주요 평가 요소
- 담화 및 지문별 평가 요소

세부 평가 내용 분석
- HME 국어 학력평가 성취 기준
- 국어 교육 과정 성취 기준

제재별 평가의 특징
- 작품 및 장르별 주요 평가 내용 제시

대표 질문 유형 분석

예) 읽기

- 글 내용에 알맞은 제목은?
- 중요한 정보를 바르게 간추린 것은?
- 글의 중심 내용(중심 글감)은?
- 글 내용을 바르게 정리한 것은?
- 글쓴이의 주장과 근거는?

대표 유형 문제

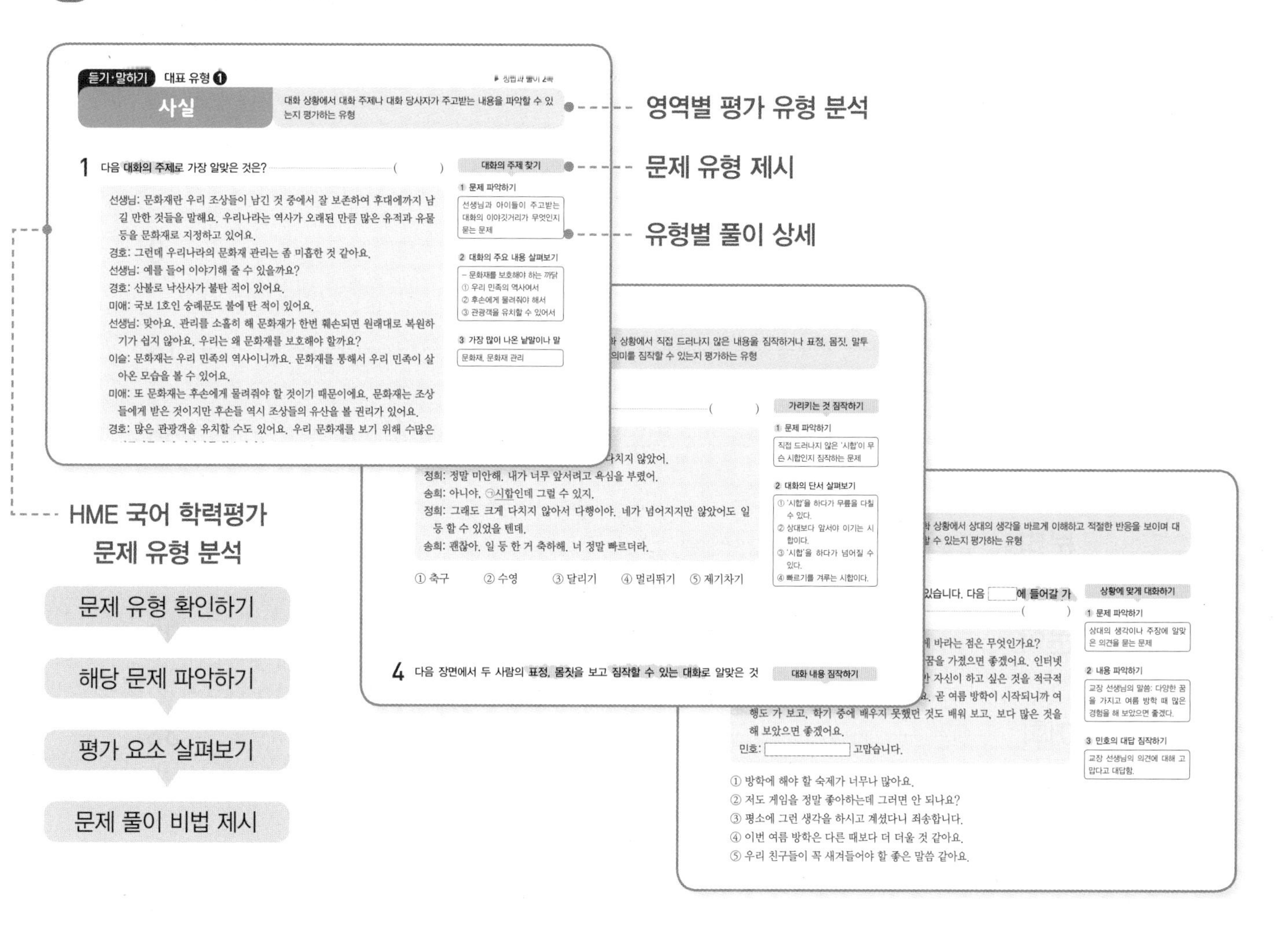

실전 모의고사 4회 제공

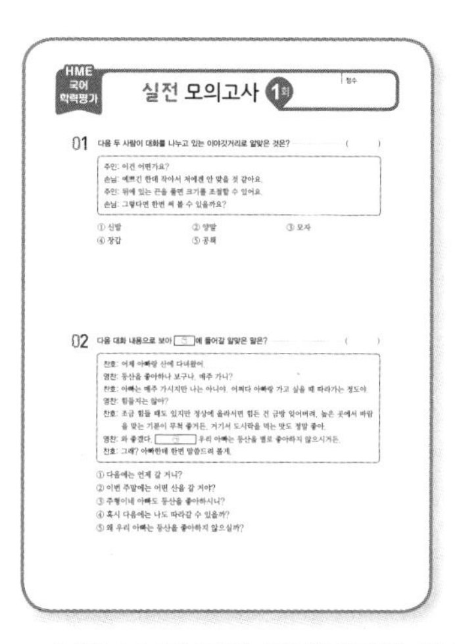

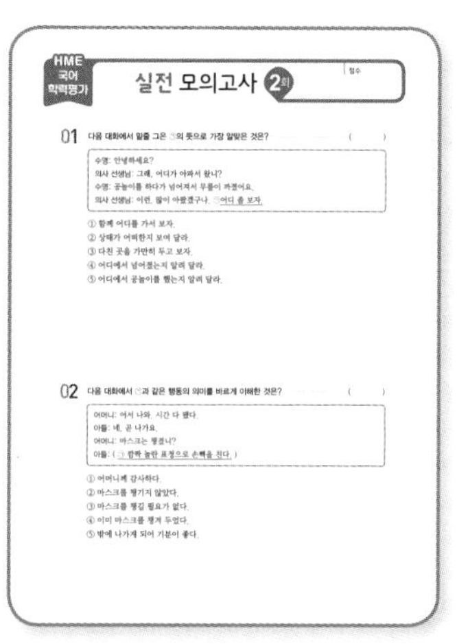

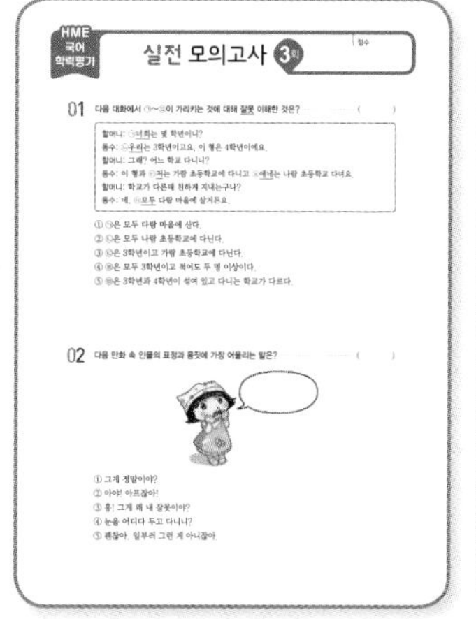

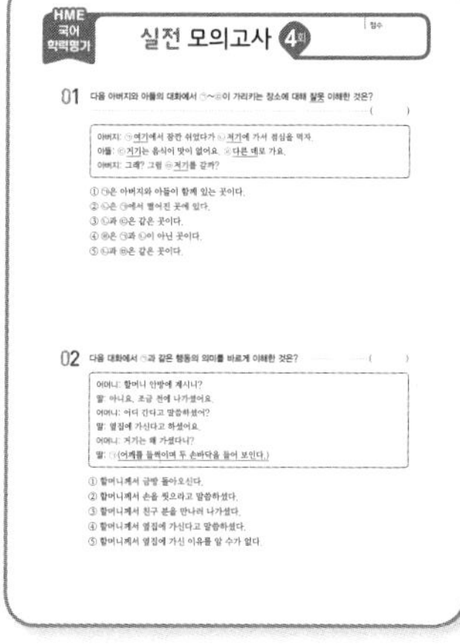

- 실제 HME 국어 학력평가와 같은 구성의 실전 모의고사
- 실제 HME 국어 학력평가와 유사한 난이도 구성

차례

평가 영역과 대표 유형

실전 모의고사

HME 국어 학력평가

듣기·말하기
읽기
쓰기
문법
문학
어휘

평가 영역
+
대표 유형 문제

- 평가 영역별 출제 유형 분석
- 출제 유형별 문제 해결 과정 제시

HME 국어 학력평가

평가 영역 듣기·말하기

영역별 출제 문항 수: 3~4문항 / 30문항

분류	평가 내용
사실	• 대화의 주제나 목적 파악하기 • 대화에서 중요한 내용 이해하기 • 지시하거나 가리키는 대상 파악하기
추론	• 대화에서 이어질 내용 예측하기 • 표정, 몸짓, 말투의 의미 짐작하기 • 인과 관계 이해하며 듣기 • 대화의 앞뒤 관계에서 직접 드러나지 않은 내용 파악하기
비판 · 감상	• 대화의 맥락에 알맞은 반응 보이기 • 적절한 표정, 몸짓, 말투인지 평가하며 듣기
생성 · 조직	• 화제에 맞게 대화 내용 이어 가기 • 일의 순서가 드러나게 말하기 • 적절한 표현 수단을 활용하여 대화하기

주요 평가 제재

일상 대화

토의, 토론

면담

전화 대화

평가의 목적

듣기·말하기 평가 영역은 국어를 활용한 대화 상황에서 정확하게 정보를 얻고, 효과적으로 나의 생각을 전할 수 있는지 평가하기 위한 영역입니다.

대화는 듣기, 말하기를 통해 상대와 정보, 감정, 의견 등을 함께 나누는 활동입니다. 글을 읽고 쓰는 것과는 달리, 대화는 표정, 몸짓, 말투 등 비언어적 요소와 대화를 나누는 상황에 따라 그 의미와 해석이 달라지기도 합니다.

듣기·말하기 평가 영역에서는 이러한 대화의 특성을 이해하고 여러 가지 상황에서 효과적으로 국어를 구사할 수 있는지 평가하게 됩니다. 특히 초등 3학년 듣기·말하기 에서는 **상대의 처지와 상황을 고려하여 대화를 이어 갈 수 있는지, 의도에 알맞은 표정, 몸짓, 말투를 활용할 수 있는지**를 주로 평가합니다.

대표 질문 유형

- 다음 대화의 주제로 알맞은 것은?
- 다음 표정과 몸짓에 어울리는 대화는?
- 대화의 내용으로 알맞은 것은?
- 회의 주제에 어울리는 의견은?
- 빈칸에 들어갈 대답으로 알맞은 것은?

주요 평가 요소

대화의 목적과 주제를 알고 있는가?	상황에 적절한 말을 주고 받을 수 있는가?	주제에 알맞은 대화 내용을 만들 수 있는가?	상대의 상황과 처지를 이해하며 대화할 수 있는가?	적절한 표정, 몸짓, 말투를 구사할 수 있는가?

▶ 정답과 풀이 2쪽

사실

대화 상황에서 대화 주제나 대화 당사자가 주고받는 내용을 파악할 수 있는지 평가하는 유형

1 다음 대화의 주제로 가장 알맞은 것은? ( )

선생님: 문화재란 우리 조상들이 남긴 것 중에서 잘 보존하여 후대에까지 남길 만한 것들을 말해요. 우리나라는 역사가 오래된 만큼 많은 유적과 유물 등을 문화재로 지정하고 있어요.
경호: 그런데 우리나라의 문화재 관리는 좀 미흡한 것 같아요.
선생님: 예를 들어 이야기해 줄 수 있을까요?
경호: 산불로 낙산사가 불탄 적이 있어요.
미애: 국보 1호인 숭례문도 불에 탄 적이 있어요.
선생님: 맞아요. 관리를 소홀히 해 문화재가 한번 훼손되면 원래대로 복원하기가 쉽지 않아요. 우리는 왜 문화재를 보호해야 할까요?
이슬: 문화재는 우리 민족의 역사이니까요. 문화재를 통해서 우리 민족이 살아온 모습을 볼 수 있어요.
미애: 또 문화재는 후손에게 물려줘야 할 것이기 때문이에요. 문화재는 조상들에게 받은 것이지만 후손들 역시 조상들의 유산을 볼 권리가 있어요.
경호: 많은 관광객을 유치할 수도 있어요. 우리 문화재를 보기 위해 수많은 외국인들이 우리나라를 찾으니까요.

① 문화재의 종류
② 문화재*발굴을 위한 노력
③ 문화재를 알리기 위한 노력
④ 문화재를 보호해야 하는 까닭
⑤ 외국인이 우리나라를 찾는 까닭

대화의 주제 찾기

1 문제 파악하기

선생님과 아이들이 주고받는 대화의 이야깃거리가 무엇인지 묻는 문제

2 대화의 주요 내용 살펴보기

– 문화재를 보호해야 하는 까닭
① 우리 민족의 역사여서
② 후손에게 물려줘야 해서
③ 관광객을 유치할 수 있어서

3 가장 많이 나온 낱말이나 말

문화재, 문화재 관리

*발굴: 세상에 널리 알려지지 않거나 뛰어난 것을 찾아 밝혀냄.

2 문제 1의 대화에서 선생님과 친구들이 주고받은 대화 내용으로 알맞지 않은 것은? ( )

① 한번 훼손된 문화재는 원래대로 복원하기가 쉽지 않다.
② 문화재를 통해서 우리 민족이 살아온 모습을 볼 수 있다.
③ 외국 관광객들이 너무 많이 오면 문화재를 보호하기가 쉽지 않다.
④ 문화재는 후손에게 물려줘야 하기 때문에 문화재를 잘 보호하여야 한다.
⑤ 산불로 낙산사가 불타거나 숭례문이 불에 탄 것은 문화재 관리가 제대로 되지 않은 예이다.

대화의 내용 파악하기

1 대화 내용 비교하기

선생님과 아이들의 대화 내용에서 찾을 수 있는 내용과 그렇지 않은 내용을 구분해 봅니다.

2 주요 대화 내용 살펴보기

"많은 관광객을 유치할 수도 있어요. 우리 문화재를 보기 위해 수많은 외국인들이 우리나라를 찾으니까요."

추론

대화 상황에서 직접 드러나지 않은 내용을 짐작하거나 표정, 몸짓, 말투의 의미를 짐작할 수 있는지 평가하는 유형

3 다음 대화에서 ㉠ '시합'이 가리키는 것은? ( )

정희: 송희야, 괜찮아?
송희: 아, 무릎이 좀 까진 것 뿐이야. 많이 다치지 않았어.
정희: 정말 미안해. 내가 너무 앞서려고 욕심을 부렸어.
송희: 아니야, ㉠시합인데 그럴 수 있지.
정희: 그래도 크게 다치지 않아서 다행이야. 네가 넘어지지만 않았어도 일 등 할 수 있었을 텐데.
송희: 괜찮아. 일 등 한 거 축하해. 너 정말 빠르더라.

① 축구 ② 수영 ③ 달리기 ④ 멀리뛰기 ⑤ 제기차기

가리키는 것 짐작하기

1 문제 파악하기

직접 드러나지 않은 '시합'이 무슨 시합인지 짐작하는 문제

2 대화의 단서 살펴보기

① '시합'을 하다가 무릎을 다칠 수 있다.
② 상대보다 앞서야 이기는 시합이다.
③ '시합'을 하다가 넘어질 수 있다.
④ 빠르기를 겨루는 시합이다.

4 다음 장면에서 두 사람의 표정, 몸짓을 보고 짐작할 수 있는 대화로 알맞은 것은? ( )

① "이 동네 이름이 뭐니?"
"가람동이에요."

② "가람동이 어디예요?"
"저쪽으로 가면 된단다."

③ "가람동이 어디니?"
"저쪽으로 가시면 돼요."

④ "가시는 곳이 어디인가요?"
"가람동으로 가려고 한단다."

⑤ "가람동이 어디니?"
"저도 잘 모르겠어요."

대화 내용 짐작하기

1 대화 상황 살펴보기

할머니가 무언가를 묻고 아이가 어딘가를 가리키며 대답하는 대화 상황

2 그림의 단서 살펴보기

① 할머니와 아이의 대화
② 아이는 높임말로 대화함.
③ 아이는 어딘가를 안내함.

듣기·말하기 대표 유형 ③

비판 · 감상

대화 상황에서 상대의 생각을 바르게 이해하고 적절한 반응을 보이며 대화할 수 있는지 평가하는 유형

5 방송반인 민호가 교장 선생님과 면담을 하고 있습니다. 다음 [　　]에 들어갈 가장 적절한 말은? (　　)

> 민호: 교장 선생님께서 우리 학교 친구들에게 바라는 점은 무엇인가요?
> 교장 선생님: 우리 학교 어린이들이 다양한 꿈을 가졌으면 좋겠어요. 인터넷 동영상을 보거나 게임을 하는 것도 좋지만 자신이 하고 싶은 것을 적극적으로 찾아보려는 자세가 부족한 것 같아요. 곧 여름 방학이 시작되니까 여행도 가 보고, 학기 중에 배우지 못했던 것도 배워 보고, 보다 많은 것을 해 보았으면 좋겠어요.
> 민호: [　　　　　　] 고맙습니다.

① 방학에 해야 할 숙제가 너무나 많아요.
② 저도 게임을 정말 좋아하는데 그러면 안 되나요?
③ 평소에 그런 생각을 하시고 계셨다니 죄송합니다.
④ 이번 여름 방학은 다른 때보다 더 더울 것 같아요.
⑤ 우리 친구들이 꼭 새겨들어야 할 좋은 말씀 같아요.

상황에 맞게 대화하기

1 문제 파악하기
상대의 생각이나 주장에 알맞은 의견을 묻는 문제

2 내용 파악하기
교장 선생님의 말씀: 다양한 꿈을 가지고 여름 방학 때 많은 경험을 해 보았으면 좋겠다.

3 민호의 대답 짐작하기
교장 선생님의 의견에 대해 고맙다고 대답함.

6 문제 5의 면담에서 교장 선생님이 친구들에게 바라는 점을 바르게 이해하고 알맞게 대답한 것은? (　　)

① “저는 잠을 잘 때 재미있는 꿈을 꾸곤 해요.”
② “정말 스마트폰 중독은 심각한 문제인 것 같아요.”
③ “저는 이번에 아빠와 함께 탁구를 배워 보고 싶어요.”
④ “저는 요즘 궁금한 점이 있으면 동영상으로 검색을 해요.”
⑤ “저는 음식을 골고루 먹어야 건강한 여름을 보낼 수 있다고 생각해요.”

상대 의견에 알맞은 대답 하기

1 교장 선생님이 바라는 점 살펴보기
교장 선생님은 여름 방학 때 자신이 하고 싶은 것을 적극적으로 찾아보라고 당부하셨습니다.

2 알맞은 대답 찾기
여름 방학을 이용하여 자신이 하고 싶은 것을 말해야 합니다.

듣기·말하기 대표 유형 ④

생성·조직

대화 주제에 어울리는 내용으로 말할 수 있는지, 전하고자 하는 내용을 적절한 순서와 짜임으로 말할 수 있는지 평가하는 유형

7 친구들이 학급 회의를 하고 있습니다. **회의 주제에 가장 어울리는 의견은?** ( )

사회자: 지난번 학급 회의에서 계속 한 자리에 앉는 것보다 자리를 옮겨 앉는 것이 좋다는 의견이 많았습니다. 그렇다면 어떤 방법으로 앉을 자리를 정하면 좋을지 의견이 있으면 말씀해 주세요.
소영: 저는 번호 순서대로 앉는 게 좋겠습니다. 번호 순서대로 앉으면 불만이 있는 친구가 없을 것 같습니다.
주희: 저는 키 순서대로 앉으면 좋겠습니다. 키가 작은 학생이 키 큰 학생 뒤에 앉으면 칠판이 잘 보이지 않아요.

① 낡은 책상과 의자는 교체해 주었으면 좋겠습니다.
② 자기가 앉은 자리는 깨끗이 청소하는 게 좋겠습니다.
③ 허리를 꼿꼿이 세우고 바른 자세로 앉는 것이 좋겠습니다.
④ 한 달에 한 번씩 추첨을 해서 앉을 자리를 정하는 것이 좋겠습니다.
⑤ 수업 시간에 이야기하는 친구가 옆에 있으면 공부하는 데 방해가 됩니다.

주제에 알맞은 의견 찾기

1 문제 파악하기
회의 주제를 파악하고 회의 주제에 알맞은 의견을 묻는 문제

2 회의 주제 살펴보기
사회자: 어떤 방법으로 앉을 자리를 정하면 좋을지 말씀해 주세요.

3 의견 비교하기
교실에서 앉을 자리를 정하는 방법으로 알맞은 의견인지 생각해 봅니다.

8 | 보기 |는 문제 7의 학급 회의에서 발표할 의견입니다. ㉠~㉢을 말하는 순서대로 알맞게 나열한 것은? ( )

| 보기 |
㉠ 그러면 지각을 하는 친구들도 줄어들 것 같습니다.
㉡ 학교에 일찍 온 순서대로 자신이 원하는 자리에 앉으면 좋겠습니다.
㉢ 또 오늘 앉은 자리가 마음에 안 들면 내일 일찍 와서 원하는 자리에 앉으면 되니까 불만도 없을 것입니다.

① ㉠ - ㉡ - ㉢
② ㉠ - ㉢ - ㉡
③ ㉡ - ㉠ - ㉢
④ ㉡ - ㉢ - ㉠
⑤ ㉢ - ㉠ - ㉡

까닭을 들어 의견 말하기

1 의견을 말하는 방법 알아보기
의견을 먼저 말하고 그 까닭을 말하거나 까닭을 먼저 말하고 의견을 말할 수도 있습니다.

2 자연스럽게 말하기
'그러면', '또'와 같이 앞말과 이어지는 말에 주의합니다.

HME 국어 학력평가

평가 영역 읽기

영역별 출제 문항 수: 11~12문항 / 30문항

분류	평가 내용
내용 확인	• 글의 중심 내용 이해하기 • 글을 읽고 주요 내용 이해하기 • 글 속 인물의 처지, 마음, 특성 이해하기 • 그림, 표, 지도, 그래프 등을 단서로 내용 이해하기
평가 · 감상	• 인물의 가치 판단하기 • 글을 읽고 타당한 내용인지 판단하기 • 글을 읽는 목적에 알맞은 내용 파악하기 • 글을 읽고 주장과 근거의 적절성 판단하기
추론	• 글에 생략된 낱말, 문장, 내용 추론하기 • 글에 생략된 사건의 원인 혹은 결과 추론하기

주요 평가 제재

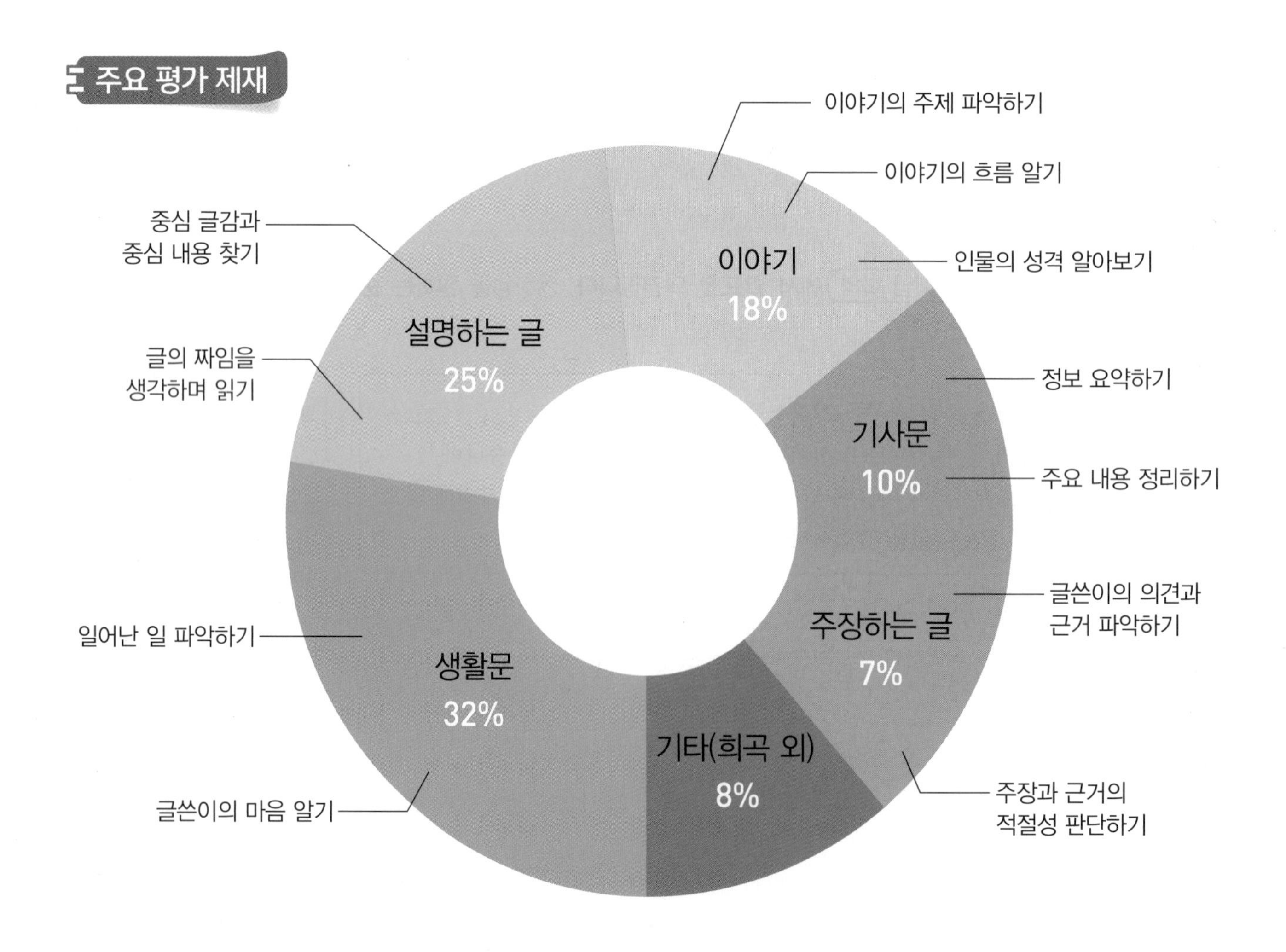

평가의 목적

읽기 평가 영역은 국어 학력평가에서 가장 중심이 되는 부분으로 글 내용을 정확히 파악하고 이를 자신의 지식으로 활용할 수 있는지 평가하기 위한 영역입니다.

읽기는 다양한 글의 종류와 특성을 이해하고 정보를 파악하는 것뿐만 아니라 읽은 내용을 비판하고 감상하며 자신의 경험과 지식으로 쌓는 지적 활동입니다.

초등 3학년 읽기 평가 영역에서는 **글을 읽고 중심 내용을 간추릴 수 있는지, 문단과 글의 짜임을 고려하여 전체적인 글 내용을 이해할 수 있는지**를 주로 평가합니다. 따라서 여러 가지 글을 읽을 때 글 일부의 내용에 집중하기보다는 글 전체에서 해당 부분이 어떤 역할을 하는지 전체적인 짜임을 생각하며 읽는 연습이 필요합니다.

대표 질문 유형

- 글 내용에 알맞은 제목은?
- 중요한 정보를 바르게 간추린 것은?
- 글의 중심 내용(중심 글감)으로 알맞은 것은?
- 글 내용을 정리할 때 빈칸에 들어갈 내용은?
- 글쓴이의 주장과 근거는?

주요 평가 요소

- 글의 중심 내용을 파악하며 읽을 수 있는가?
- 글의 구조나 짜임을 이해하며 읽을 수 있는가?
- 읽는 목적에 따라 중요한 내용을 찾을 수 있는가?
- 주장과 근거가 적절한지 판단할 수 있는가?
- 드러나지 않은 내용이나 결과를 짐작할 수 있는가?

▶ 정답과 풀이 3쪽

내용 확인

글을 읽고 글의 중심 글감, 중심 내용을 파악할 수 있는지, 글의 정보를 바르게 이해할 수 있는지 평가하는 유형

1 다음 글의 중심 내용을 가장 잘 드러내는 제목은? ( )

웃음은 마음을 치료하는 힘이 있다. 힘들고 짜증나는 일이 있더라도 별거 아닌 것처럼 웃어 버리면 기분이 한결 좋아지는 것을 느낄 수 있다. 긴장되는 상황에서도 웃음은 불안을 해소하고 마음을 풀어 주는 역할을 한다.

웃음은 사람과 사람의 관계를 부드럽게 만드는 힘이 있다. "웃는 낯에 침 못 뱉는다."라는 속담이 있다. 웃음으로 나를 대하는 이에게 싫은 소리를 하기는 어려운 법이다. 여과 없이 나가려던 거친 말들도 상대의 웃음을 보면 다시 한 번 생각하게 된다. 처음 보는 얼굴이라도 웃고 있는 얼굴을 보면 자신도 모르게 좋은 감정이 생긴다는 연구 결과도 있다.

웃음은 사람의 몸을 건강하게 만드는 힘이 있다. 웃을 때 분비되는 엔도르핀과 같은 물질은 스트레스로 인한 혈압을 낮추고 몸의 면역 기능을 높여 준다. 심각한 질병에 걸린 사람이 웃음 치료를 통해 상태가 나아졌다는 예도 여럿 있다.

① 웃는 예절
② 웃음의 효과
③ 웃음과 사회
④ 속담 속 웃음
⑤ 엔도르핀의 역할

글의 제목 찾기

1 문제 파악하기
중심 내용을 파악하고 이를 대표하는 제목을 묻는 문제

2 글의 내용 파악하기
• 웃음의 힘 세 가지
– 마음을 치료한다.
– 관계를 부드럽게 한다.
– 몸을 건강하게 한다.

3 헷갈리는 보기 추려 내기
제목은 글 전체의 내용을 대표할 수 있어야 함.

2 다음은 문제 1의 글에서 설명한 중심 내용과 이를 뒷받침하는 내용입니다. 관련 있는 것끼리 바르게 짝지은 것은? ( )

㉠ 웃음은 마음을 치료해 준다.
㉡ 웃음은 몸을 건강하게 해 준다.
㉢ 엔도르핀은 혈압을 낮추어 준다.
㉣ 웃음은 사람과의 관계를 부드럽게 해 준다.
㉤ "웃는 낯에 침 못 뱉는다."라는 속담이 있다.
㉥ 힘들고 짜증이 나도 웃으면 기분이 한결 좋아지는 것을 느낄 수 있다.

① ㉠ – ㉥, ㉡ – ㉤, ㉣ – ㉢
② ㉠ – ㉡, ㉣ – ㉤, ㉢ – ㉥
③ ㉠ – ㉥, ㉡ – ㉢, ㉣ – ㉤
④ ㉥ – ㉠, ㉡ – ㉣, ㉢ – ㉤
⑤ ㉠ – ㉢, ㉡ – ㉣, ㉢ – ㉥

중심 내용과 뒷받침 내용 구분하기

1 중심 내용 찾기
각 문단의 첫 번째 문장이 문단의 내용을 대표하는 중심 문장입니다.

2 문제 해결하기
중심 문장의 내용과 나머지 문장의 내용을 짝 지어 봅니다.

3 다음 글의 내용을 잘못 정리한 것은? ( )

연필과 볼펜은 모두 글씨를 쓸 때 사용합니다. 물론 연필과 볼펜으로 선을 그리거나 그림을 그릴 수도 있지요. 연필이나 볼펜과 같이 무언가를 적을 수 있는 도구를 필기도구라고 합니다.

연필과 볼펜은 손으로 잡고 글씨를 쓰기 좋게 길쭉한 모양입니다. 또 엄지와 검지의 모양을 동그랗게 하여 연필과 볼펜을 잡는 방법도 같습니다. 하지만 연필은 길쭉한 나무 속에 들어 있는 흑연으로 글씨를 쓰고, 볼펜은 플라스틱 막대 안에 들어 있는 잉크를 이용해 글씨를 씁니다.

연필을 사용하다가 연필심이 부러지면 깎아서 써야 하지만 볼펜은 심이 부러질 일도 없고 몸통을 깎을 필요도 없습니다. 다만 볼펜은 오랫동안 사용하지 않으면 안에 들어 있는 잉크가 굳어서 사용하기 어려울 수도 있습니다. 또 연필로 쓴 글씨는 지우개로 쉽게 지울 수 있지만 볼펜으로 쓴 글씨는 지우기 어렵습니다.

① 연필과 볼펜은 글씨를 쓰는 도구이다.
② 연필이나 볼펜은 모두 필기도구에 해당한다.
③ 연필과 볼펜은 글씨를 쓸 때 이용하는 재료가 다르다.
④ 연필은 볼펜에 비해 심이 부러져서 불편한 점이 있다.
⑤ 잉크를 사용하는 볼펜이 연필보다 깨끗하게 글씨를 쓸 수 있다.

글의 내용 파악하기

1 문제 파악하기

글의 내용을 파악한 뒤 보기와 비교하여 묻는 문제

2 내용 파악하기

- 연필과 볼펜의 공통점과 차이점
- 필기도구이다.
- 길쭉한 모양이다.
- 잡는 방법이 같다.
- 연필은 흑연을, 볼펜은 잉크를 사용한다.

3 글 내용과 비교하기

글에서 확인할 수 있는 내용과 글에서 확인할 수 없는 내용을 구분합니다.

4 문제 3의 글을 다음과 같은 틀에 정리하려고 합니다. (가)에 들어갈 내용으로 알맞은 것은? ( )

연필	(가)	볼펜
• 흑연 사용 • 지우기 쉽다.	(가)	• 잉크 사용 • 지우기 어렵다.

① 길쭉한 나무 속에 흑연이 들어 있다.
② 플라스틱 막대 안에 잉크가 들어 있다.
③ 지우개로 잘못 쓴 글씨를 쉽게 지울 수 있다.
④ 엄지와 검지의 모양을 동그랗게 해서 잡는다.
⑤ 심이 부러질 일도 없고 몸통을 깎아서 쓸 필요도 없다.

글의 내용 정리하기

1 글의 특성 파악하기

연필과 볼펜의 공통점과 차이점을 설명하는 글

2 문제 해결하기

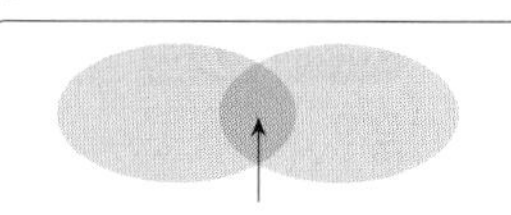

두 동그라미가 겹치는 가운데 부분에는 연필과 볼펜의 공통점이 들어가야 합니다.

읽기 대표 유형 ②

평가 · 감상

글을 읽고 글쓴이의 생각을 찾거나 주장에 대한 근거가 타당한지, 글을 읽는 목적에 알맞은 내용을 찾을 수 있는지 평가하는 유형

5 다음 글에서 글쓴이의 주장과 거리가 먼 것은? ( )

해마다 어린이 교통사고가 늘고 있다. 안전시설을 늘리고 교통 법규를 강화하여 운전자의 주의를 높이고는 있지만 어린이 교통사고 발생률은 쉽게 줄어들지 않는다. 우리 스스로 어린이 교통사고를 줄이려면 어떻게 해야 할까?

먼저 차가 다니는 도로 근처에서는 항상 주의를 해야 한다. 공놀이를 한다거나 장난을 치며 걷다가 가림막이 설치되지 않은 차도를 침범해 사고를 당하는 경우가 많다. 도로에는 항상 차가 다니고 있음을 명심하고 길에서 한눈을 팔지 않도록 주의해야 한다.

둘째, 반드시 횡단보도 신호가 초록불로 바뀐 것을 확인하고 천천히 길을 건너야 한다. 신호가 초록불로 바뀌었더라도 다급하게 뛰어가면 미처 정차하지 못한 차량과 부딪힐 수 있다. 반드시 신호가 바뀌고 다가오던 차들이 정지한 것을 확인한 뒤 건너야 한다.

셋째, 비가 오는 날에는 우의를 입거나 앞이 잘 보이는 투명한 우산을 쓰도록 하자. 비가 오는 날은 우산이 앞을 가려 사고가 날 위험이 더 높아진다. 또 빗물 때문에 운전자가 브레이크를 밟아도 차가 곧바로 멈추지 않아 보행자 어린이의 주의가 더더욱 필요하다.

① 길에서 한눈을 팔지 않도록 주의해야 한다.
② 차가 다니는 도로 근처에서는 항상 주의를 해야 한다.
③ 횡단보도 신호가 초록불로 바뀐 것을 확인하고 건너야 한다.
④ 횡단보도 신호가 바뀌면 지체하지 말고 재빨리 건너야 한다.
⑤ 비가 오는 날에는 우의를 입거나 앞이 잘 보이는 우산을 써야 한다.

글쓴이의 주장 찾기

1 문제 파악하기

글쓴이의 주장이나 생각을 묻는 문제

2 내용 파악하기

- 교통사고를 줄이기 위해 어린이 스스로 할 수 있는 일
  - 도로 근처에서 주의하며 걷기
  - 신호를 확인하고 정차를 확인한 뒤 건너기
  - 비가 오는 날에는 우의를 입거나 투명한 우산 쓰기

3 헷갈리는 보기 추려 내기

글쓴이의 주장과 비슷해 보이지만 정확하지 않은 의견을 고릅니다.

6 문제 5의 글 뒤에 이어질 내용으로, 다음 빈칸에 들어갈 가장 알맞은 문장은? ( )

넷째, ( )

① 과속 방지 턱을 지금보다 더 많이 설치해야 한다.
② 차량의 경적 소리가 너무 크지 않게 줄여야 한다.
③ 어린이들이 많이 다니는 길은 육교를 설치해야 한다.
④ 교통 지도를 하시는 분들의 안내와 지시를 잘 따라야 한다.
⑤ 브레이크 및 타이어 점검을 철저히 해서 안전사고를 줄여야 한다.

글 흐름에 알맞은 주장 찾기

1 글의 흐름 살펴보기

어린이 교통사고를 줄일 수 있는 방법이 이어짐.

2 문제 해결하기

어린이 스스로 교통사고를 줄일 수 있는 해결 방법으로 알맞은 내용이 들어가야 합니다.

7 다음 글을 읽고 글쓴이가 글을 쓴 목적에 대해 바르게 이해한 것은? ( )

> 우리 반 친구들에게
>
> 안녕, 우리 반 친구들. 오래전부터 하고 싶었던 말이 있어서 이렇게 편지를 쓰게 되었어.
>
> 다들 알다시피 우리 반 뒤에는 커다란 쓰레기통이 있어. 그런데 이 쓰레기통 주위는 항상 지저분해. 왜냐하면 우리들이 쓰레기통 안에 쓰레기를 제대로 버리지 않고 쓰레기통 주변에 아무렇게나 던져 놓기 때문이야. 종잇조각이나 못 쓰는 연필, 물감 뚜껑 따위가 항상 어지럽게 널려 있어서 보기에도 안 좋아. 또 날카로운 물건을 잘못 밟으면 발에 상처가 생길 수도 있고…….
>
> 그래서 하는 말인데, [㉠] 우리가 조금씩만 신경을 쓴다면 보다 깨끗한 교실이 될 수 있을 거야. 우리 서로를 위해 조금씩만 노력해 보자.
>
> 그럼, 모두 건강하게 여름을 보내길 바랄게.
>
> 안녕.
>
> – 우리 반을 걱정하는 민규가

① 오랜만에 만난 친구들의 안부를 묻기 위한 글이다.
② 친구들에게 재미있는 이야기를 들려주기 위한 글이다.
③ 여름 방학을 앞두고 친구들에게 건강을 당부하는 글이다.
④ 교실의 문제점에 대해 해결 방법을 제안하기 위한 글이다.
⑤ 교실의 물건을 어떻게 사용해야 하는지 사용 방법을 안내하기 위한 글이다.

글을 쓴 목적 찾기

1 문제 파악하기

글쓴이가 글을 쓴 목적이나 까닭을 묻는 문제

2 내용 파악하기

문제: 쓰레기통 주변이 지저분한 것
↓
전할 말: 깨끗한 교실을 위해 서로 조금씩만 노력해 보자.

3 헷갈리는 보기 추려 내기

사용 방법을 안내하는 글은 어떤 사실을 자세히 설명하는 글에 가깝습니다.

8 문제 7의 글 내용으로 보아 [㉠]에 들어갈 말로 가장 알맞은 것은? ( )

① 날카로운 물건은 학교에 가져오지 않았으면 좋겠어.
② 교실 뒤에 있는 쓰레기통을 교실 앞에 놓았으면 좋겠어.
③ 쓰레기를 버릴 때 쓰레기통 안에 제대로 버렸으면 좋겠어.
④ 재활용할 수 있는 쓰레기는 따로 모아서 버렸으면 좋겠어.
⑤ 못 쓰는 연필이라도 함부로 버리지 말고 아껴 썼으면 좋겠어.

목적에 알맞은 의견 찾기

1 글을 쓴 목적

어떤 문제에 대한 해결 방법을 제안하기 위해서

2 문제의 원인 살펴보기

쓰레기를 제대로 버리지 않고 쓰레기통 주변에 아무렇게나 던져 놓기 때문

3 ㉠에 들어갈 내용 생각하기

어떻게 하면 깨끗한 교실을 만들 수 있을지에 대한 의견

읽기 대표 유형 ③

추론

글을 읽고 글에 생략된 낱말, 문장, 내용 등을 짐작하거나 원인과 결과에 알맞은 내용을 추론할 수 있는지 평가하는 유형

9 다음 글을 읽고 짐작할 수 있는 내용으로 알맞은 것은? ············ (   )

정수가 학교에 오지 않았다. 선생님께서는 정수가 감기 몸살에 걸려 병원에 갔다고 했다. 어제 쉬는 시간에 열이 좀 나는 것 같다고 말한 정수의 얼굴이 떠올랐다. 선생님께서는 내일모레 합주 공연을 하는데 오늘 배운 부분을 정수에게 알려 줄 친구가 필요하다고 하셨다. 그러면서 정수네 집 근처에 사는 친구가 누구냐고 물으셨다. 우리 집은 정수네 집과 거리가 멀다. 하지만 나는 손을 들었다.

① '나'는 정수와 같은 아파트에 살고 있는 것 같다.
② '나'는 정수가 꾀병을 부린다고 생각하는 것 같다.
③ '나'는 정수가 걱정되고 정수를 도와주고 싶어 하는 것 같다.
④ 선생님은 정수가 합주 공연을 할 수 없다고 생각하시는 것 같다.
⑤ 정수는 '나'에게 합주 공연 연습을 도와달라고 미리 말한 것 같다.

생략된 내용 짐작하기

1 상황 파악하기

정수가 학교에 오지 않음.
↓
선생님께서 정수네 집 근처에 사는 친구를 물으심.
↓
정수네 집과 거리가 멀지만 '내'가 가겠다고 손을 듦.

2 '내가' 손을 든 까닭 생각하기

정수에게 오늘 배운 부분을 알려 주기 위해서

3 '나'의 마음 짐작하기

정수를 도와주고 싶은 마음

10 다음 글에서 '내'가 하고 싶어 하는 말을 가장 바르게 나타낸 것은? ······ (   )

사람들은 토끼가 영리해서 용궁을 빠져 나온 것이 잘되었다고 생각할지 모릅니다. 그리고 저를 거짓말로 토끼를 꾀어낸 나쁜 동물이라고 생각하겠지요. 물론 토끼가 용궁에 가면 높은 관직에 오를 것이라는 말은 거짓말이었습니다. 하지만 생각을 해 보세요. 용궁에 가서 당신의 간을 용왕님께 바치라고 사실대로 말을 한다면 어느 토끼가 용궁에 가겠습니까? 저는 용왕님의 신하일 뿐입니다. 용왕님을 살리기 위해서 저도 나름의 꾀를 낸 것일 뿐입니다. 게다가 토끼도 잘한 게 없습니다. 제 분수를 알고 욕심을 부리지 않았다면 저의 말에 속아 넘어가지도 않았을 것이니까요. 저는 마땅히 할 일을 하기 위한 거짓말을 했을 뿐이고 토끼는 자신의 욕심 때문에 제 발로 용궁에 온 것입니다.

① 토끼는 영리한 동물이다.
② 거짓말로 토끼를 꾀어낸 것은 잘못이다.
③ 토끼가 간을 바친다면 용왕님께서 큰 상을 내리셨을 것이다.
④ '내'가 꾀를 낸 것은 잘못이고 토끼가 꾀를 낸 것은 잘한 일이다.
⑤ 욕심을 부린 토끼가 잘못이지 해야 할 일을 한 '내' 잘못이 아니다.

글쓴이의 생각 짐작하기

1 글의 내용 살펴보기

별주부전 이야기 속 자라가 자신을 거짓말쟁이라며 비난하는 사람들을 향해 자신의 잘못이 아니라고 주장하는 내용

2 문제 해결하기

글의 내용 일부분이 아니라 글 전체의 내용에서 글쓴이가 전하고자 하는 생각이나 의견을 찾아야 합니다.

11 다음 광고의 의도를 바르게 이해한 것은? ( )

① 게임 시간을 줄이자.
② 난폭 운전을 하지 말자.
③ 횡단보도로 길을 건너자.
④ 운전할 때는 핸드폰을 보지 말자.
⑤ 자동차보다는 자전거를 이용하자.

광고의 의도 파악하기

1 그림의 내용 살펴보기

도로 위를 게임용 리모컨이 달리고 있음.
↓
"운전은 게임이 아닙니다."
↓
게임처럼 운전을 하는 사람들에게 하는 말

2 주요 내용 살펴보기

운전을 게임처럼 한다는 말은 무슨 뜻일까?

3 헷갈리는 보기 추려 내기

'운전'에 대해 하고 싶은 말을 전하려는 것이지 게임 중독에 대해 이야기하는 것이 아닙니다.

12 문제 11의 광고에서 ㉠ 에 들어갈, 광고의 의도를 가장 잘 표현해 주는 말은? ( )

① 멈추지 마세요. 잠깐 쉬면 패배자가 됩니다.
② 지나치지 마세요. 주위의 풍경도 살펴보세요.
③ 앞만 보지 마세요. 뒤돌아보는 여유가 필요한 때입니다.
④ 화면에서 벗어나세요. 게임에 중독되면 지는 것은 자신입니다.
⑤ 이기려고 하지 마세요. 도로 위의 위험한 질주에 승리자는 없습니다.

광고의 내용 추론하기

- 운전을 게임처럼 하면 안 된다는 생각을 잘 전달할 수 있는 말을 찾아봅니다.

HME 국어 학력평가

평가 영역 쓰기

영역별 출제 문항 수: 3~4문항 / 30문항

분류	평가 내용
내용 생성	• 주제나 글감에 알맞은 내용 떠올리기 • 설명할 대상에 알맞은 내용 선정하기 • 글의 흐름에 알맞은 내용 떠올리기
내용 조직	• 원인과 결과의 흐름에 맞게 글 구성하기 • 글의 종류에 알맞은 개요 짜기 • 일의 방법이나 순서가 드러나게 글 구성하기
표현·고쳐쓰기	• 주제에 알맞은 중심 문장과 뒷받침 문장 갖추어 문단 쓰기 • 상황에 알맞은 마음을 전하는 글 쓰기 • 개요에 알맞은 내용으로 글 쓰기 • 중심 내용에 알맞은 내용으로 고쳐쓰기

글을 쓰는 순서

1 **계획하기**
글의 목적과 읽을 사람을 떠올리며 글을 쓸 준비하기

2 **생성하기**
주제에 알맞은 쓸 내용을 떠올리기

3 **조직하기**
쓸 내용을 일정한 기준과 절차에 따라 틀을 짜고 엮기

4 **표현하기**
읽을 사람이 이해하기 쉽게 쓰기

5 **고쳐쓰기**
글, 문단, 문장, 낱말 수준에서 고쳐쓰기

평가의 목적

쓰기 평가 영역은 한 편의 글을 쓰기 위한 일련의 과정을 이해하고 의도에 맞게 글을 쓰는 능력을 갖추고 있는지 평가하기 위한 영역입니다.

글쓰기는 글을 쓰는 목적에 따라 내용을 선정하고, 짜임에 따라 쓸 내용을 체계화하고, 국어 지식과 적절한 어휘를 사용하여 표현하고, 처음 계획에 맞게 써졌는지 다시 확인하는 단계를 거칩니다.

쓰기 평가 영역에서는 이러한 글쓰기 과정을 충분히 이해하고 있는지, 적절한 표현 능력을 갖추었는지를 평가하게 됩니다. 특히 초등 3학년 쓰기 영역에서는 **중심 문장과 뒷받침 문장을 갖추어 적절한 내용으로 문단을 쓸 수 있는지**를 주로 평가합니다.

대표 질문 유형

- 다음 주제와 관련된 쓸 내용으로 알맞은 것은?
- 다음 짜임과 어울리는 글감은?
- 떠올린 내용을 순서에 알맞게 나열한 것은?
- 빈칸에 들어갈 중심 문장으로 알맞은 것은?
- 적절하지 않은 문장을 찾아 바르게 고친 것은?

주요 평가 요소

- 주제에 알맞게 쓸 내용을 떠올릴 수 있는가?
- 글의 종류에 따라 쓸 내용을 조직할 수 있는가?
- 글 흐름에 알맞은 내용을 쓸 수 있는가?
- 중심 문장과 뒷받침 문장을 쓸 수 있는가?
- 원인과 결과에 알맞은 내용을 쓸 수 있는가?

내용 생성

주제나 글감, 글의 종류, 글의 흐름에 따라 적절한 쓸 내용을 떠올릴 수 있는지 평가하는 유형

1 다음과 같이 어떤 대상을 **설명하는 글을 쓰기 위해 쓸 내용을** 떠올렸습니다. ㉠ ~ ㉣에 들어갈 말이 바르게 짝지어진 것은? ( )

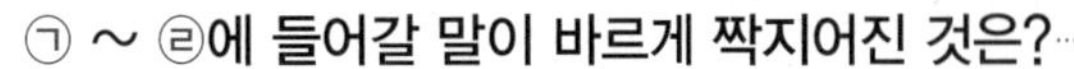

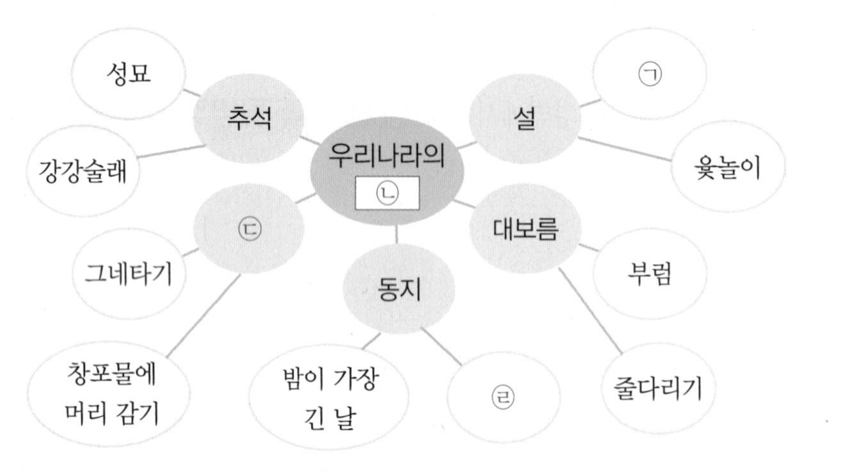

	㉠	㉡	㉢	㉣
①	명절	모습	놀이	겨울
②	세배	명절	단오	팥죽
③	겨울	풍습	명절	겨울
④	세배	명절	풍습	낮잠
⑤	봄	사계절	여름	겨울

쓸 내용 떠올리기

1 문제 파악하기

글을 쓸 때 서로 관련된 글감을 떠올릴 수 있는지 묻는 문제

2 ㉠~㉣의 특성 살펴보기

㉠ 설과 관련된 풍습이나 음식

㉡ 중심 글감

㉢ 그네를 타고 창포물에 머리를 감는 풍습이 있는 명절

㉣ 동지와 관련된 풍습이나 음식

2 다음 제목과 주제로 글을 쓸 때 쓸 내용으로 어울리지 않는 것은? ( )

> 제목: 지구가 힘들어요.
> 주제: 지구 온난화를 막기 위해 모두가 노력해야 한다.

① 지구 온난화의 뜻
② 지구 온난화가 끼치는 영향
③ 지구 온난화와 빙하기의 관계
④ 지구 온난화가 일어나는 까닭
⑤ 지구 온난화를 막을 수 있는 방법

주제에 알맞은 내용 떠올리기

● 글의 제목과 주제를 볼 때 지구 온난화를 막기 위해 모두가 노력하자는 주장이 표현된 글이어야 합니다.

쓰기 대표 유형 ❷

내용 조직

글을 쓰려는 의도에 맞게 개요를 짜거나 글 내용의 적절한 순서를 계획할 수 있는지 평가하는 유형

3 '어린이 교통사고를 줄이자'는 주제로 글을 쓰려고 합니다. | 보기 |의 떠올린 내용을 순서에 맞게 나열한 것은? ( )

| 보기 |

㉠ 해마다 어린이 교통사고가 늘고 있다.
㉡ 골목이나 차도에서 공놀이를 하지 말자.
㉢ 어린이 교통사고를 줄이려면 어떻게 해야 할까?
㉣ 횡단보도의 초록신호를 확인하고 천천히 길을 건너야 한다.
㉤ 비가 오는 날에는 앞이 잘 보이는 투명한 우산을 써야 한다.
㉥ 교통사고로부터 나를 가장 확실히 지켜 줄 사람은 바로 나임을 항상 기억하자.

①

처음	㉠, ㉥
가운데	㉡, ㉢, ㉣
끝	㉤

②

처음	㉡
가운데	㉠, ㉢, ㉣, ㉤
끝	㉥

③

처음	㉠, ㉢
가운데	㉡, ㉣, ㉥
끝	㉤

④

처음	㉠, ㉢, ㉤
가운데	㉡, ㉣
끝	㉥

⑤

처음	㉠, ㉢
가운데	㉡, ㉣, ㉤
끝	㉥

쓸 내용 조직하기

1 문제 파악하기

글로 쓰고자 하는 여러 가지 내용을 글의 짜임에 맞게 나열하는 문제

2 | 보기 |에 제시된 문장의 내용 살펴보기

- 문제 상황 제시
- 문제에 대한 해결 방법
- 문제와 해결 방법에 대한 강조

3 글의 짜임 알아보기

처음	문제 상황
가운데	해결 방법
끝	주장의 강조

4 | 보기 |의 ㉠~㉢ 짜임과 어울리는 글감을 바르게 짝지은 것은? ( )

| 보기 |

㉠ 일을 하는 방법이나 순서에 따라 내용 짜기
㉡ 두 대상의 공통점과 차이점을 중심으로 내용 짜기
㉢ 문제 상황에 대한 원인과 해결 방법에 대한 제안으로 내용 짜기

	㉠	㉡	㉢
①	김치의 좋은 점	선풍기와 에어컨	숲의 이로운 점
②	김치 담그기	자전거와 오토바이	소아 비만의 문제와 예방
③	콩나물 기르기	사자와 호랑이	독서를 해야 하는 까닭
④	소화기 사용법	감기와 독감	자전거를 타는 방법
⑤	김밥 만들기	전기의 편리한 점	충치의 원인과 예방 방법

짜임에 알맞은 글감 찾기

● ㉠~㉢ 짜임의 글이 가진 특성

㉠ 일을 하는 순서와 방법을 차례대로 설명함.

㉡ 두 대상을 비교하거나 대조하여 설명함.

㉢ 문제 상황이 무엇인지 설명하고 그 문제에 대한 해결 방법을 여러 가지로 제시함.

표현 · 고쳐쓰기

글의 주제와 짜임에 따라 적절하게 글을 쓰거나 잘못 쓴 부분을 찾아 고쳐 쓸 수 있는지 평가하는 유형

5 다음 글의 빈칸에 들어갈 중심 문장으로 가장 알맞은 것은? ············ (　　　)

> [　　　　　　　　　　　　] 아빠는 베란다와 안방, 작은방의 유리창을 닦습니다. 창고를 정리하는 것도 아빠의 역할입니다. 거실과 마루를 쓸고 닦는 일은 동생의 몫입니다. 엄마는 부엌과 다용도실의 물건들을 정리합니다. 나는 현관과 화장실을 청소합니다.

① 우리 가족은 부지런합니다.
② 우리 가족은 네 식구입니다.
③ 우리 가족은 사이가 좋습니다.
④ 우리 가족은 주말이면 여행을 갑니다.
⑤ 우리 가족은 청소를 나누어서 합니다.

알맞은 중심 문장 쓰기

1 문제 파악하기

문단의 나머지 내용을 살펴보고 문단의 내용을 대표할 수 있는 중심 문장을 고르는 문제

2 문단의 내용 살펴보기

가족들이 청소를 어떻게 나누어 하는지 예를 들어 설명하고 있음.

6 다음 글에서 글의 주제나 내용과 적절하지 않은 문장을 찾아 바르게 고친 것은?
············ (　　　)

> ㉠ 소방관은 화재가 났을 때 불을 끄는 일을 하는 직업입니다. 불을 끄는 일뿐만 아니라 화재가 날 위험이 있는 곳을 찾아 점검하고 화재가 일어나지 않는지 감시하는 역할도 합니다. ㉡ 또 위급한 상황이 발생했을 때 현장에 출동하여 사람들을 도와주는 역할도 합니다. 누군가 물에 빠졌거나 건물이 무너져 사람들이 구조를 요청할 때 가장 먼저 현장에 달려가는 사람이 소방관입니다. ㉢ 경찰관이나 의료 관계자는 늦게 도착하는 경우가 많습니다. 이렇듯 소방관은 우리 사회의 안전을 위해 헌신적으로 일하는 직업입니다.

① ㉠ → 소방관은 화재가 일어나면 불을 끄는 역할을 합니다.
② ㉠ → 소방관은 우리 사회의 안전을 위해 불을 끄는 일을 하는 직업입니다.
③ ㉡ → 또 위급한 상황이 발생했을 때 사람들을 도와주는 일도 합니다.
④ ㉢ → 그래서 소방관은 가장 빨리 현장에 출동할 수 있도록 항상 준비하고 있습니다.
⑤ ㉢ → 경찰관은 주로 현장에서 교통정리를 하고 의료 관계자는 다치거나 아픈 사람들을 돌보는 역할을 합니다.

적절하지 않은 문장 고쳐쓰기

● 소방관이 어떤 직업인지 설명하고 있는 문단이므로 소방관에 대해 설명한 부분이 아닌 문장은 중심 내용에 맞추어 고쳐 주는 것이 좋습니다.

● 원래의 문장을 바꾸어도 크게 의미가 달라지지 않는 문장은 고쳐 쓸 필요가 없습니다.

HME 국어 학력평가

평가 영역 　 문법

영역별 출제 문항 수: 3~4문항 / 30문항

분류	평가 내용
문장·담화	• 높임 표현을 사용하는 방법을 알고 알맞은 높임 표현 사용하기 • 문장을 구성하는 성분을 분석하고 그 기능을 이해하기 • 문장의 종류를 알고 적절히 활용하기 • 문장의 종류에 알맞은 문장 부호 활용하기
발음·표기·규범	• 맞춤법에 맞게 쓰기 • 문장에 따라 알맞은 문장 부호를 사용하기 • 띄어쓰기의 규칙을 알고 알맞게 띄어 쓰기 • 국어 사전에서 낱말 찾는 방법 알기 • 형태가 바뀌는 낱말과 바뀌지 않는 낱말 구분하기 • 낱말의 기본형 찾기

주요 평가 문법

맞춤법

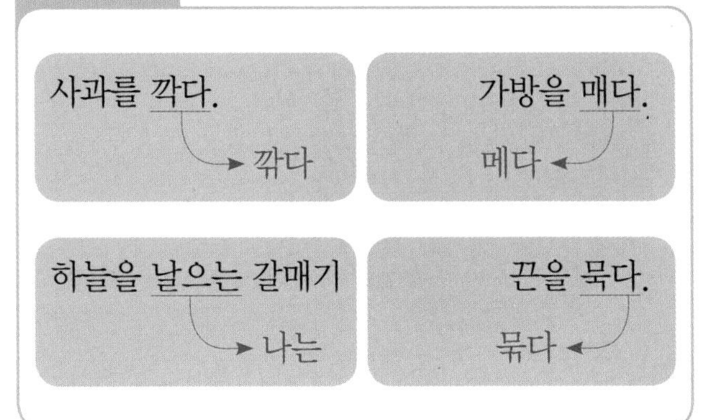

높임법

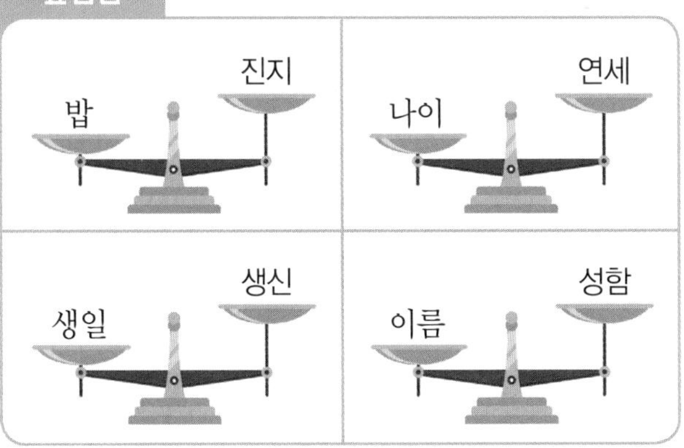

띄어쓰기

몇|개 → 몇∨개

사|과|한|개 → 사|과∨한∨개

배|추|두|포|기 → 배|추∨두∨포|기

먹|을|것 → 먹|을∨것

어|쩔|수|없|이 → 어|쩔∨수∨없|이

기본형

평가의 목적

문법 평가 영역은 국어 문법에 대한 기초 지식과 활용 능력을 평가하기 위한 영역입니다.

언어는 같은 언어를 사용하는 사람들 사이에서 일정한 규칙에 따라 만들어지고 쓰이게 되는데, 이러한 말의 규칙이 '문법'입니다. 국어 역시 발음(소리 내어 읽기), 표기(맞춤법), 구성(낱말이나 문장의 짜임) 등 국어만의 문법을 가지고 있습니다.

문법 평가 영역에서는 학년 수준에 맞는 국어 문법 지식을 가지고 있는지, 또 이를 국어 생활에 적절히 활용할 수 있는지 평가하게 됩니다. 초등 3학년 문법 평가 영역에서는 **맞춤법에 맞게 문장을 쓸 수 있는지, 문장에 알맞은 높임 표현을 사용할 수 있는지**를 주로 평가합니다.

대표 질문 유형

- 높임을 표현하는 방법이 나머지와 다른 하나는?
- 맞춤법에 맞게 바르게 고쳐 쓴 것은?
- 띄어 써야 할 곳을 바르게 표시한 것은?
- 국어사전에 실리는 순서대로 낱말을 나열한 것은?
- 다음과 같이 낱말을 나눈 기준은?

주요 평가 요소

- 맞춤법에 알맞은 낱말을 쓸 수 있는가?
- 높임 표현을 사용하는 방법을 알고 있는가?
- 띄어쓰기의 규칙을 알고 알맞게 띄어 쓸 수 있는가?
- 적절한 높임 표현을 사용할 수 있는가?
- 국어사전에서 낱말을 찾는 방법을 알고 있는가?

▶ 정답과 풀이 6쪽

문장 · 담화

문장에 알맞은 높임 표현을 쓸 수 있는지와 같이 문장 수준의 문법 지식을 평가하는 유형

1 다음 글의 ㉠~㉤ 중, 높임의 뜻이 있는 **특별한 낱말을 사용하여 높임을 표현한** 경우가 아닌 것은? ( )

> 제목 : 행복한 하루 ○월 ○일 ○요일 날씨: 맑음
>
> 오늘은 우리 할아버지 ㉠생신이었다. 아침에 눈을 뜨자마자 우리는 할아버지께 ㉡드릴 편지와 선물을 챙겨서 할아버지 ㉢댁으로 갔다. 할아버지 ㉣연세만큼 케이크에 초를 꽂고 불을 붙였다. 동생과 나는 생일 축하 노래를 열심히 불렀다. 할아버지께서는 활짝 ㉤웃으셨다. 할아버지의 미소를 보면서 나도 행복했다.

① ㉠ ② ㉡
③ ㉢ ④ ㉣
⑤ ㉤

높임을 표현하는 방법 구분하기

- **높임을 표현하는 방법**

1. '-습니다'나 '-요'를 써서 문장을 끝맺는다.
   예) 다녀왔습니다, 했어요
2. 높임을 나타내는 '-시-'를 넣는다.
   예) 하시나요, 하셨다
3. 높임의 대상에게 '께서'나 '께'를 사용한다.
   예) 아버지께서, 어머니께
4. 높임의 뜻이 있는 특별한 낱말을 사용한다.
   예) 생일 → 생신
   이름 → 성함
   나이 → 연세

2 | 보기 |에서 높임을 나타내는 **'-시-'를 넣어 높임을 표현한** 문장을 모두 고른 것은? ( )

| 보기 |
㉠ 저는 책 읽기를 좋아합니다.
㉡ 이건 어머니께 드릴 선물이야.
㉢ 할아버지를 모시고 병원에 갔다.
㉣ 선생님께서 일찍 학교에 오셨다.
㉤ 화분에 물을 주시는 아버지를 보았다.

① ㉠, ㉡ ② ㉢, ㉣
③ ㉣, ㉤ ④ ㉢, ㉣, ㉤
⑤ ㉡, ㉢, ㉣, ㉤

'-시-'를 넣은 높임 표현 찾기

- '가다 → 가시다'와 같이 '-시-'를 넣어 높임을 표현합니다. 하지만 '모시다'는 '모다'에 '-시-'를 넣은 게 아니고 '데리다'의 높임말입니다.

예) 친구를 데리고 가다.
↓
어머니를 모시고 가다.

문법 대표 유형 ❷

발음 · 표기 · 규범

맞춤법, 낱말의 종류, 띄어쓰기, 기본형 등 낱말의 쓰임에 대한 문법 지식을 평가하는 유형

3 다음 중 밑줄 그은 낱말이 맞춤법에 맞지 않는 것은? ( )

① 사탕이 너무 달아요.
② 연필심이 금방 닳아 버렸다.
③ 동생은 엄마를 많이 닭았다.
④ 빨리 달리다가 넘어질 수 있어.
⑤ 이 옷은 어제 산 옷과 색깔이 달르다.

맞춤법에 맞게 쓰기

• 낱말의 기본형과 뜻

달다 – 단맛이 나다.
닳다 – 낡거나 줄어들다.
닮다 – 생김새가 비슷하다.
달리다 – 뛰어가다.
다르다 – 같지 않다.

4 다음 중 밑줄 그은 낱말이 맞춤법에 바르게 쓴 문장은? ( )

① 베게가 너무 낮다.
② 저 모자는 얼마에요?
③ 위험을 무릅쓰고 불을 껐다.
④ 감기가 얼른 낳았으면 좋겠다.
⑤ 토끼가 담을 너머 도망쳤다.

맞춤법에 맞게 쓰기

• '낳다'와 '낫다'

낳다 – 태어나게 하다.
낫다 – 병이 고쳐지다.

5 다음 중 띄어쓰기를 바르게 한 것은? ( )

① 종이∨두장 ② 수박∨한통 ③ 수저∨한벌
④ 의자∨한개 ⑤ 고양이∨세∨마리

낱말을 바르게 띄어 쓰기

• 수를 나타내는 말과 단위를 나타내는 말은 띄어 씁니다.

예 장미∨스무∨송이

6 다음 문장의 띄어쓰기가 바른 것은? ( )

① 삼십분을∨기다려도∨버스가∨오지않아∨힘들었다.
② 삼십분을∨기다려도∨버스가∨오지∨않아∨힘들었다.
③ 삼십∨분을∨기다려도∨버스가∨오지않아∨힘들었다.
④ 삼십∨분을∨기다려도∨버스가∨오지∨않아∨힘들었다.
⑤ 삼∨십∨분을∨기다려도∨버스가∨오지∨않아∨힘들었다.

문장을 바르게 띄어 쓰기

• 시간의 띄어쓰기

예 3시 25분
→ 세∨시∨이십오∨분

7 | 보기 |와 같이 낱말을 나눈 기준으로 알맞은 것은? ( )

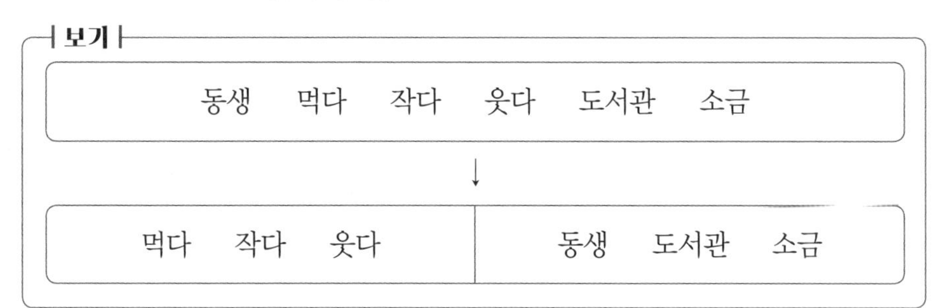

① 형태가 바뀌는 낱말과 형태가 바뀌지 않는 낱말
② 높임의 뜻이 있는 낱말과 높임의 뜻이 없는 낱말
③ 앞말과 띄어 쓰는 낱말과 앞말과 띄어 쓰지 않는 낱말
④ 국어사전에 실리는 낱말과 국어사전에 실리지 않는 낱말
⑤ 움직임을 나타내는 낱말과 성질이나 상태를 나타내는 낱말

낱말의 종류 구분하기

- **형태가 바뀌는 낱말**
'가다'의 '가고, 가니, 가서, 가면'과 같이 여러 가지 모양으로 쓰이는 낱말

- **형태가 바뀌지 않는 낱말**
'하늘, 나무, 집'과 같이 모양이 바뀌지 않고 항상 그대로 쓰이는 낱말

- **움직임을 나타내는 낱말**
'놀다, 먹다, 자다'와 같이 동작을 표현하는 낱말

- **성질이나 상태를 나타내는 낱말**
'예쁘다, 아름답다, 길다, 무겁다'와 같이 모양이나 특성을 표현하는 낱말

8 다음 중 밑줄 그은 낱말의 기본형이 바르지 않은 것은? ( )

① 춤추는 갈대 → 춤추다
② 하늘을 나는 새 → 나다
③ 하늘로 던진 공 → 던지다
④ 생각하는 사람 → 생각하다
⑤ 바닥을 구르는 공 → 구르다

낱말의 기본형 찾기

- '먹고, 먹으면, 먹어, 먹어서'에서 모양이 바뀌지 않는 '먹-'에 '-다'가 붙은 낱말 '먹다'를 기본형이라고 합니다.

9 | 보기 |의 낱말을 국어사전에 실리는 순서대로 바르게 나열한 것은? ( )

| 보기 |

동생 던지다 동물 당근

① 당근 → 동물 → 동생 → 던지다
② 동생 → 동물 → 당근 → 던지다
③ 동물 → 동생 → 당근 → 던지다
④ 당근 → 던지다 → 동물 → 동생
⑤ 던지다 → 당근 → 동물 → 동생

국어사전에서 낱말 찾기

- **국어사전에 낱말이 실리는 순서**

① 첫 자음자: ㄱ, ㄴ, ㄷ, ㄹ…
② 모음자 : ㅏ, ㅑ, ㅓ, ㅕ…
③ 받침: ㄱ, ㄲ, ㄳ, ㄴ, ㄵ…

낱말에 쓰인 첫 글자의 첫 자음자가 같으면 모음자의 순서대로, 모음자가 같으면 받침의 순서대로 실립니다.

HME 국어 학력평가

평가 영역 문학

영역별 출제 문항 수: 4~6문항 / 30문항

분류	평가 영역
지식	• 시와 이야기의 특성을 알고 구분하기 • 이야기의 구성 요소 파악하기 • 감각적 표현의 효과를 알고 감각적 표현 사용하기
수용과 생산	• 시에 쓰인 표현의 의미 이해하기 • 인물의 말이나 행동의 까닭 짐작하기 • 작품에 대한 여러 사람의 생각과 느낌 비교하기

문학 작품의 특성

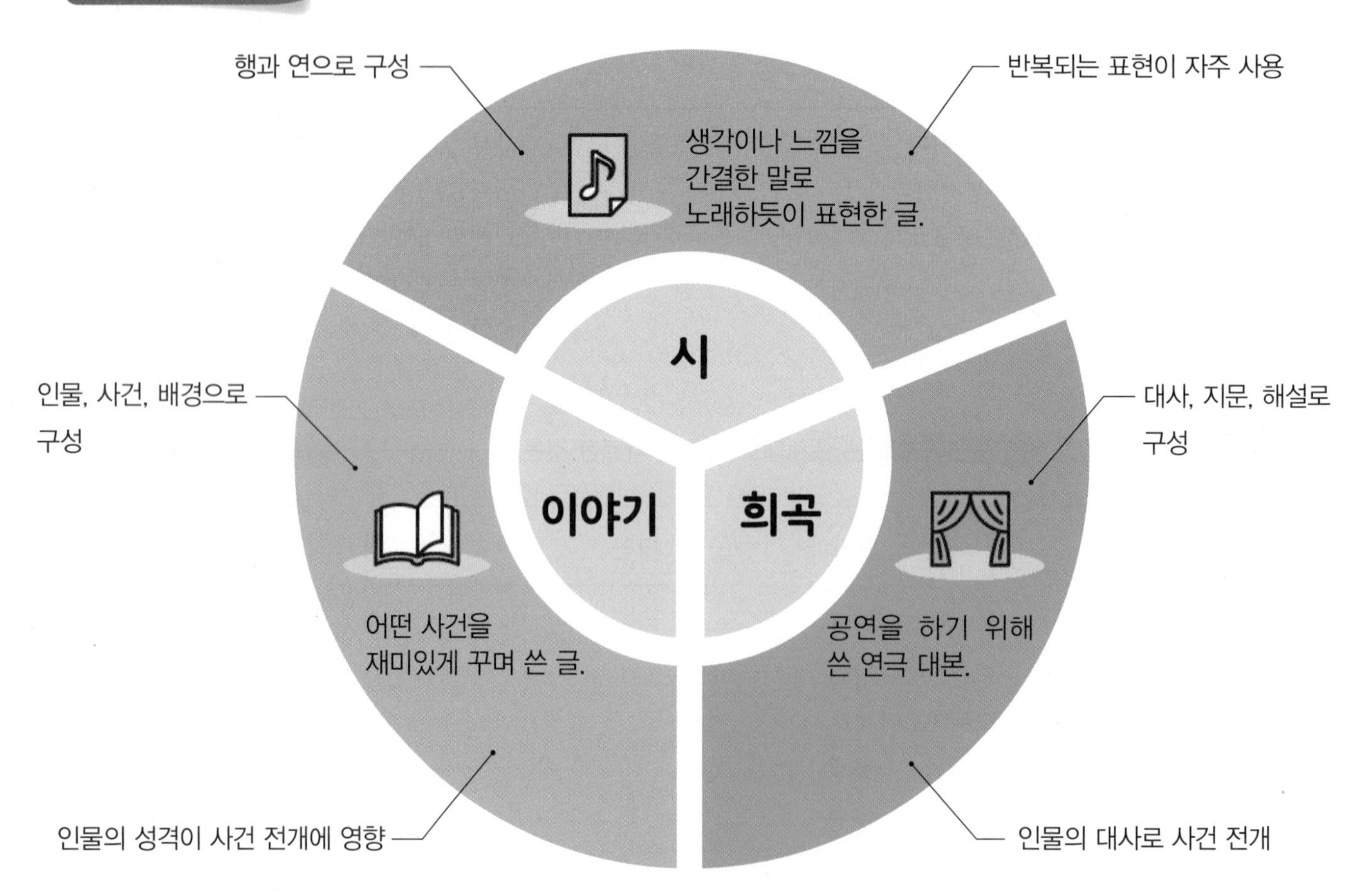

평가의 목적

문학 평가 영역은 시, 이야기, 희곡과 같은 다양한 문학 작품을 장르의 특성에 맞게 읽고 감상할 수 있는지 평가하기 위한 영역입니다.

문학 작품을 감상한다는 것은 정보의 습득을 목적으로 하는 읽기와는 달리, 읽는 이의 생각과 가치에 따라 작품의 의미를 보다 폭넓게 이해하고 작품이 주는 감동을 마음에 받아들이는 활동입니다.

문학 평가 영역에서는 작품의 종류에 따라 작품을 감상하는 방법을 이해하고 작품이 주는 감동을 적절하게 수용할 수 있는지를 평가하게 됩니다. 특히 초등 3학년 문학 평가 영역에서는 **시적 표현의 의미를 이해할 수 있는지, 이야기의 구성 요소를 파악하고 작품에 대한 생각을 표현할 수 있는지**를 주로 평가합니다.

대표 질문 유형

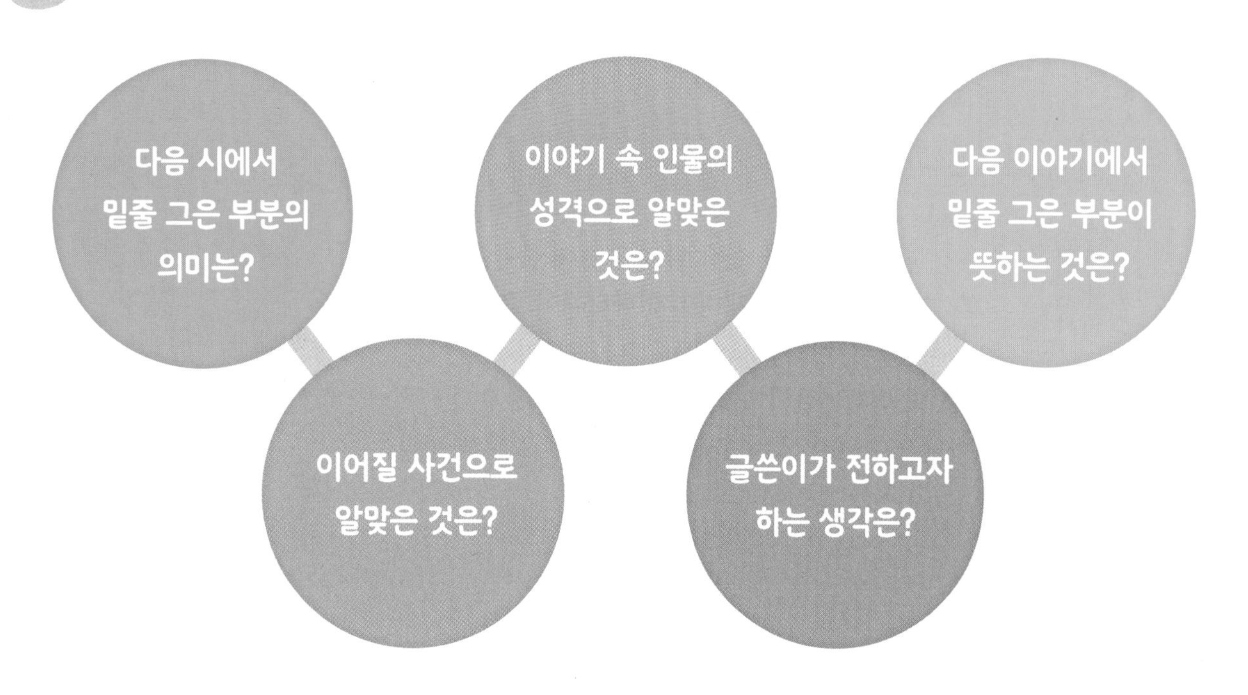

주요 평가 요소

시의 특성을 이해하고 있는가?	이야기에서 인물의 성격을 파악할 수 있는가?	사건과 인물의 관계를 파악할 수 있는가?	작품에 대한 감상을 표현할 수 있는가?	작품의 주제나 교훈을 찾을 수 있는가?

▶ 정답과 풀이 7쪽

지식

시와 이야기 등 작품의 특성을 이해하고 작품의 특성에 맞게 감상할 수 있는지 평가하는 유형

1 다음 시에서 ㉠과 ㉡의 효과에 대해 바르게 말한 것은? ( )

감기

정유경

내 몸에
불덩이가 들어왔다.
– ㉠ 뜨끈뜨끈.
불덩이를 따라
몹시 추운 사람도 들어왔다.
– ㉡ 오들오들

약을 먹고 나니
느릿느릿,
거북이도 들어오고
까무룩,
잠꾸러기도 들어왔다.

내 몸에
너무 많은 것들이 들어왔다.
그래서
내 몸이 아주 무거워졌다.

① 뜨거운 음식과 차가운 음식의 맛을 실감 나게 표현해 준다.
② 계속 변하는 글쓴이의 마음 상태를 재미있게 나타내어 준다.
③ 추운 겨울에 불을 쬐는 글쓴이의 모습을 실감 나게 보여 준다.
④ 글쓴이가 상상하는 여름과 겨울의 모습을 재미있게 보여 준다.
⑤ 감기에 걸려 열이 나고 한기가 드는 모습을 실감 나게 표현해 준다.

감각적 표현의 효과 알기

1 문제 파악하기

시에 쓰인 낱말이 어떤 의미와 특징을 갖고 있는지 묻는 문제

2 시의 내용 파악하기

감기에 걸려 열이 나고 피곤한 상태를 무언가가 몸에 들어왔기 때문이라고 재미있게 표현함.

3 흉내 내는 말 살펴보기

- 뜨끈뜨끈 – 불덩이가 몸에 들어와 열이 나는 상태를 표현
- 오들오들 – 추운 사람이 몸에 들어와 한기가 느껴지는 상태를 표현

2 문제 1의 시에서 '내' 몸에 들어온 **'거북이'와 '잠꾸러기'가 표현하고 있는 것**에 대해 바르게 설명한 것은? ( )

① 느리고 게으른 성격을 빗대어 표현하였다.
② '나'의 걱정거리나 고민을 빗대어 표현하였다.
③ 기운이 없고 졸린 상태를 빗대어 표현하였다.
④ 시간이 천천히 가는 것을 빗대어 표현하였다.
⑤ 천천히 이루어지는 글쓴이의 꿈을 빗대어 표현하였다.

시적 표현의 의미 알기

● 시의 표현 살펴보기

거북이 – 약을 먹고 나니 거북이처럼 느려짐.

잠꾸러기 – 약을 먹고 나니 잠꾸러기처럼 까무룩 졸림.

수용과 생산

작품의 내용과 흐름을 파악하고 인물의 마음을 이해할 수 있는지, 작품이 주는 교훈과 감동을 찾아낼 수 있는지 평가하는 유형

3 다음 이야기에서 하율이에게 생긴 **'신통방통한 무기'**가 뜻하는 것은? (   )

(가) 하율이는 무서운 표정을 지었어. 재미있었어. 눈썹을 치켜 올리고, 눈을 동그랗게 뜨고 아랫입술에 힘을 주어 한껏 위로 올렸어. 그러고 나서 엄마를 빤히 쳐다보았어. 엄마는 깜짝 놀랐지.

"왜? 게임 그만 하라고 해서 화났어?"

하율이는 아무 말도 하지 않았어. 그냥 그 표정으로 엄마를 한참 동안 보고 있었을 뿐이야.

"아휴, 해라 해. 마음대로 해."

하율이는 신났어. 아무 말도 하지 않고 그 표정만 보여 주었을 뿐인데 엄마를 이겨 버렸어. 하율이에게 신통방통한 무기가 생겼지.

(나) "하율, 표정이 왜 그래? 푸하하하."

어라? 아빠는 이 표정이 무섭지 않나? 하율이는 눈도 더 크게 뜨고 입술까지 깨물었어.

"하율, 아빠 때릴 거야? 그런 표정으로 보는 건 싸우자는 뜻인데?"

하율이는 덜컥 겁이 났어. 아빠를 때리다니? 그런 건 전혀 상상도 못한 일이었어.

"오늘따라 얘가 저러네. 억지 불만을 그냥 얼굴에 다 드러내려고 용을 써요."

엄마가 한 소리 하셨어.

① 게임할 때 쓰는 무기이다.
② 엄마에게 고자질하는 것이다.
③ 불만을 표정으로 드러내는 것이다.
④ 듣기 싫은 말을 못 들은 척하는 것이다.
⑤ 하고 싶은 일을 마음속으로 생각하는 것이다.

이야기의 내용 파악하기

1 문제 파악하기

이야기의 흐름 속에서 문학적으로 표현한 내용이 무엇인지 묻는 문제

2 사건 파악하기

엄마가 잔소리를 해서 하율이가 무서운 표정을 지으면 엄마가 잔소리를 포기하고 마음대로 하라고 말함.

3 주요 표현 살펴보기

'억지 불만을 그냥 얼굴에 다 드러내려고~' → 하율이가 불만을 잔뜩 담고 있는 표정을 짓고 있음을 의미

4 문제 3의 이야기에서 사건의 흐름으로 보아 (가)와 (나) **사이에 있었던 일로 가장 알맞은 것은?** (   )

① 하율이가 모르는 이야기를 아빠에게 궁금한 표정으로 물어보았다.
② 늦게까지 게임을 하던 하율이가 졸린 표정으로 아빠를 바라보았다.
③ 저녁을 너무 많이 먹은 하율이가 배가 아파서 찡그리는 표정을 지어 보였다.
④ 아빠가 하율이에게 일찍 자라고 하자 하율이는 무서운 표정을 지어 보였다.
⑤ 하율이가 텔레비전을 보다가 재미있는 장면이 나와서 웃음을 참는 표정을 지어 보였다.

이야기의 흐름 짐작하기

'어라? 아빠는 이 표정이 무섭지 않나?'라는 하율이의 말에서 앞에 있었던 사건을 짐작해 볼 수 있습니다.

HME 국어 학력평가

평가 영역 어휘

영역별 출제 문항 수: 3~4문항 / 30문항

분류	평가 내용
개념	• 흉내 내는 말의 개념을 알고 적절히 사용하기 • 꾸며 주는 말의 개념을 알고 적절히 사용하기
관계	• 유의 관계, 반의 관계의 낱말 찾기 • 포함 관계의 개념을 알고 포함 관계의 낱말 찾기
의미	• 어휘의 의미 추론하기 • 표현하고자 하는 문맥에 알맞은 어휘 사용하기
확장	• 같은 방법으로 만들어진 낱말 찾기 • 상황에 맞는 속담, 관용구 찾기

여러 가지 어휘 관계

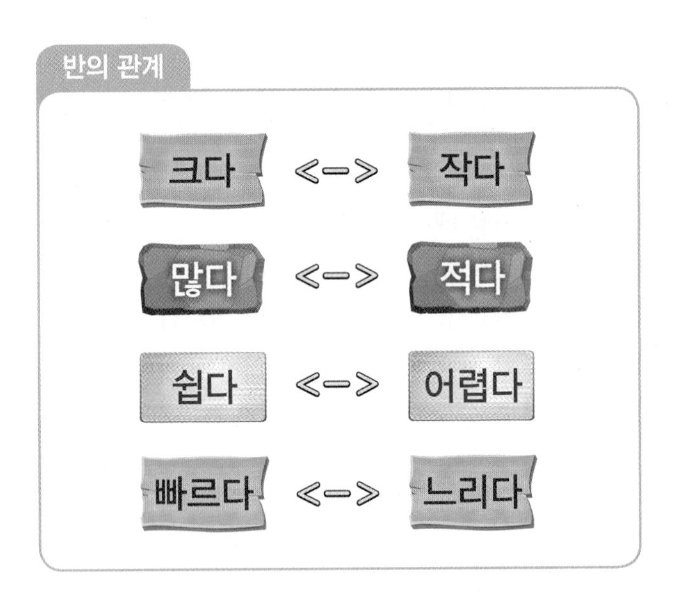

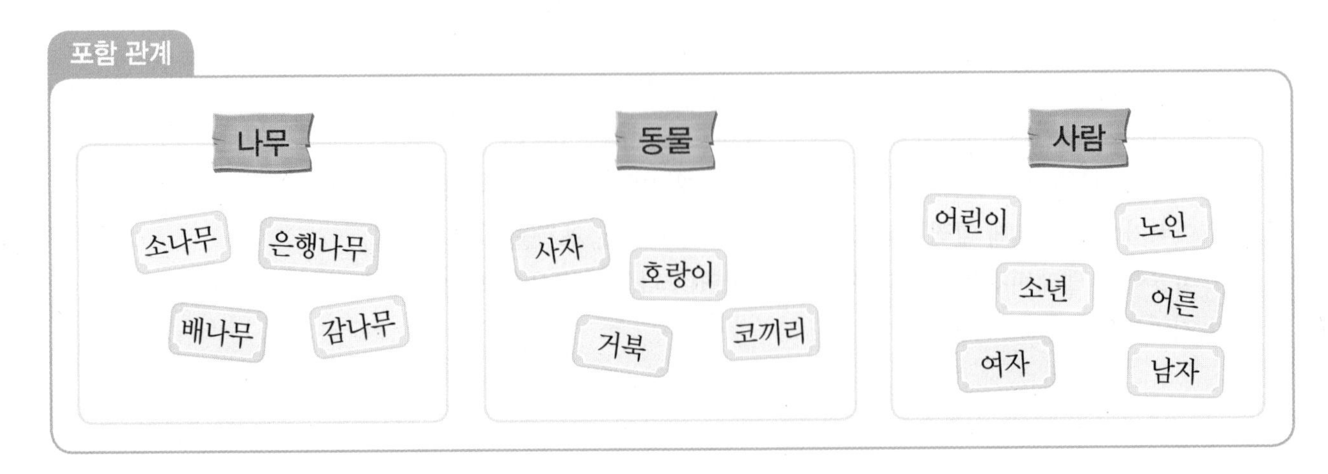

평가의 목적

어휘 평가 영역은 우리말의 기초가 되는 국어 낱말의 이해·활용 능력을 평가하기 위한 영역입니다.

어휘는 듣기, 말하기, 읽기, 쓰기 등 모든 국어 활동의 바탕입니다. 일상에서 반복적으로 사용하며 저절로 습득하게 되는 어휘와 읽기를 통해 지식적으로 배우게 되는 어휘가 어휘력의 기초를 이룹니다.

어휘 평가 영역에서는 이러한 어휘의 의미를 어휘의 관계 속에서 정확하게 이해하고 구사할 수 있는지 평가하게 됩니다. 특히 초등 3학년 어휘 영역에서는 **낱말의 유의 관계, 반의 관계 등을 이해하고 표현하고자 하는 의미에 적절한 어휘를 사용할 수 있는지**를 주로 평가합니다.

대표 질문 유형

- 다음과 같은 종류의 낱말로 알맞은 것은?
- 다음 뜻을 모두 가진 낱말은?
- 빈칸에 들어갈 꾸며 주는 말은?
- 밑줄 그은 부분에 어울리는 속담은?
- 다음과 비슷한 뜻을 가진 낱말은?

주요 평가 요소

낱말의 뜻을 알고 알맞게 쓸 수 있는가?	여러 가지 낱말의 관계를 이해하고 있는가?	의도에 알맞은 낱말을 사용할 수 있는가?	낱말의 여러 의미를 구분할 수 있는가?	적절한 관용 표현과 속담을 활용할 수 있는가?

어휝 **대표 유형 1**

▶ 정답과 풀이 8쪽

개념

'흉내 내는 말', '꾸며 주는 말'과 같이 낱말의 의미와 특징을 알고 문장에 알맞게 사용할 수 있는지 평가하는 유형

1 다음과 같이 여러 가지 낱말을 나눌 때 ㉠ 과 ㉡ 에 들어갈 낱말을 바르게 짝 지은 것은? ( )

깡충깡충, 아장아장, 뭉게뭉게, ㉠	음매음매, 삐악삐악, 달그락달그락, ㉡

① ㉠ – 멍멍, ㉡ – 꼬끼오
② ㉠ – 엉금엉금, ㉡ – 데굴데굴
③ ㉠ – 데굴데굴, ㉡ – 폴짝폴짝
④ ㉠ – 갸우뚱갸우뚱, ㉡ – 멍멍
⑤ ㉠ – 엉금엉금, ㉡ – 갸우뚱갸우뚱

낱말의 종류 구분하기

1 문제 파악하기

낱말을 분류한 기준을 찾고 같은 종류의 낱말은 무엇이 있는지 묻는 문제

2 흉내 내는 말 알아보기

소리나 모양을 비슷하게 말로써 표현해 주는 말을 흉내 내는 말이라고 합니다.

3 문제 해결하기

㉠에는 모양과 관련된 말이, ㉡에는 소리와 관련된 말이 들어가야 합니다.

2 | 보기 |와 같이 앞말과 뒷말의 역할을 표시할 수 있는 낱말끼리 짝지어진 것은? ( )

| 보기 |
아름다운 / 들국화

① 작은 / 가방
② 이슬 / 토끼풀
③ 마음 / 사랑하다
④ 행복한 / 졸졸졸
⑤ 사랑스러운 / 귀여운

낱말의 기능 구분하기

- '아름다운 들국화'에서 '아름다운'은 '들국화'를 꾸며 주는 말입니다.

3 다음 문장의 [ ]에 들어갈 낱말로 어울리지 않는 것은? ( )

숲속 어디선가 연기가 피어오르자 토끼 소방수가 [ ] 뛰어갑니다.

① 헐레벌떡 ② 허겁지겁 ③ 부랴부랴
④ 부릉부릉 ⑤ 허둥지둥

문장에 들어갈 낱말 찾기

- 흉내 내는 말의 의미 살펴보기

• 허겁지겁 – 조급한 마음으로 몹시 허둥거리는 모양
• 부랴부랴 – 매우 급하게 서두르는 모양
• 허둥지둥 – 갈팡질팡하며 다급하게 서두르는 모양

어휘 대표 유형 ❷

관계

낱말의 유의 관계, 반의 관계, 포함 관계를 구분하고 해당하는 관계의 낱말을 찾을 수 있는지 평가하는 유형

4 다음과 같은 관계로 묶을 수 있는 낱말끼리 짝지어진 것은? ( )

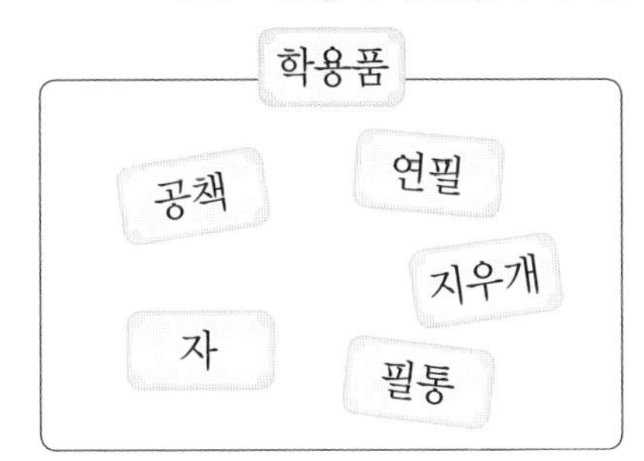

① 안경, 다리, 책, 가방
② 연필, 볼펜, 붓, 물감, 가위
③ 아이, 어른, 남자, 여자, 청소년
④ 소나무, 감나무, 밤나무, 은행나무
⑤ 비, 소나기, 이슬비, 여우비, 가랑비

낱말의 포함 관계 알기

- 포함 관계의 낱말
- 학용품: '연필', '공책' 등을 포함하는 낱말
- 연필, 공책: '학용품'에 포함되는 낱말

5 | 보기 |와 같은 관계로 짝지을 수 있는 낱말끼리 나열한 것은? ( )

| 보기 |

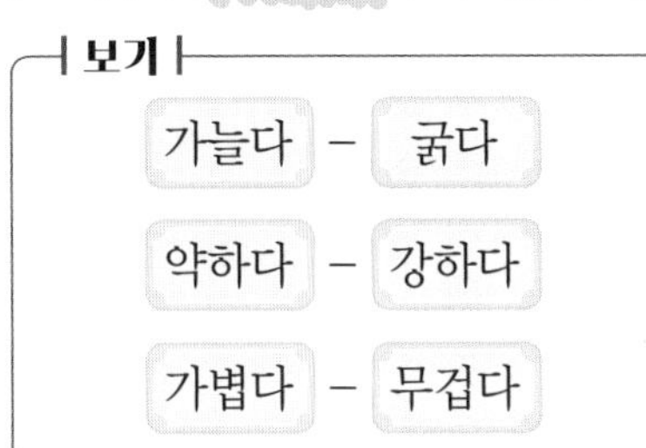

① 넓다, 많다
② 크다, 세다
③ 주다, 받다
④ 묽다, 강하다
⑤ 하얗다, 빨갛다

낱말의 반의 관계 알기

- 반의 관계의 낱말
- '가늘다 – 굵다' : 굵기가 서로 반대의 뜻을 가진 낱말
- '약하다 – 강하다' : 세기가 서로 반대의 뜻을 가진 낱말
- '가볍다 – 무겁다' : 무게가 서로 반대의 뜻을 가진 낱말

6 다음 문장의 밑줄 그은 낱말 대신 쓸 수 있는 말로 가장 알맞은 것은? ( )

> 어두운 밤길을 걷던 나그네는 외딴집을 발견하고 하룻밤 <u>자고</u> 가기로 하였습니다.

① 격고
② 겪고
③ 묵고
④ 묶고
⑤ 치르고

의도에 알맞은 낱말 사용하기

- '하룻밤을 자다'에서 '자다' 대신 쓸 수 있는 낱말을 고릅니다.
- '묵다'와 '묶다'
  - 묵다 – 일정한 곳에 머무르다.
  - 묶다 – 끈 따위를 매듭으로 만들다.

어휘 대표 유형 3

의미 · 확장

어휘의 여러 가지 의미를 짐작하거나 상황에 맞는 관용어, 속담 등을 활용할 수 있는지 평가하는 유형

7 다음 글에서 밑줄 그은 부분의 뜻으로 가장 알맞은 것은? ( )

> 그런 문제가 있다면 진작 말하지 그랬니? 옆집 이장님은 발이 넓어서 너를 도와줄 사람을 금방 찾아줄 수 있을 거다.

① 돈이 많고 재력이 있다.
② 팔다리가 길고 덩치가 크다.
③ 가족이 많고 여러 식구가 함께 산다.
④ 사귀어 아는 사람이 많아 활동 범위가 넓다.
⑤ 젊어서부터 배운 것이 많아 현명하고 재주가 좋다.

관용 표현의 의미 짐작하기

'발이 넓다'의 예
- 정호는 발이 넓어서 아는 사람이 많다.
- 발이 넓은 호동이는 어딜 가나 친구가 많았다.

8 다음 글의 밑줄 그은 부분을 대신할 수 있는 말로 가장 알맞은 것은? ( )

> 자기 잘못은 생각하지 못하고 남의 잘못만 들추어 말한다고 하더니 이 이야기에 나오는 주인공이 딱 그런 사람인 것 같습니다.

① 개똥도 약에 쓰려면 없다고 하더니
② 고래 싸움에 새우 등 터진다고 하더니
③ 하룻강아지 범 무서운 줄 모른다고 하더니
④ 가랑잎이 솔잎더러 바스락거린다고 하더니
⑤ 호랑이 굴에 들어가도 정신만 차리면 산다고 하더니

의도에 알맞은 속담 활용하기

밑줄 그은 부분과 비슷한 뜻을 가진 속담
예 똥 묻은 개가 겨 묻은 개 나무란다 – 자기는 더 큰 잘못이 있음에도 도리어 남의 작은 잘못을 흉본다는 말.

9 다음 뜻을 모두 가진 낱말은? ( )

> • 일을 하는 사람
> • 영향력이나 권한이 미치는 범위
> • 어떤 일을 하는 데 드는 힘이나 노력

① 손　　② 발
③ 귀　　④ 눈
⑤ 팔

낱말의 여러 가지 의미 알기

- 농사를 짓는 데 ○이 부족하다.
- 이 나라에 임금님의 ○이 미치지 않는 곳은 없다.
- 그 일은 ○이 많이 가서 짧은 시간에 할 수 없다.

HME 국어 학력평가

실전 모의고사

- 〈HME 국어 학력평가〉 **평가 영역 완벽 분석**
- 〈HME 국어 학력평가〉 **대표 유형 중심 반영**
- 〈HME 국어 학력평가〉 **다양한 출제 유형 제시**

HME 국어 학력평가

실전 모의고사 1회

점수

01 다음 두 사람이 대화를 나누고 있는 이야깃거리로 알맞은 것은? ( )

> 주인: 이건 어떤가요?
> 손님: 예쁘긴 한데 작아서 저에겐 안 맞을 것 같아요.
> 주인: 뒤에 있는 끈을 풀면 크기를 조절할 수 있어요.
> 손님: 그렇다면 한번 써 볼 수 있을까요?

① 신발 ② 양말 ③ 모자
④ 장갑 ⑤ 공책

02 다음 대화 내용으로 보아 ㉠ 에 들어갈 알맞은 말은? ( )

> 찬호: 어제 아빠랑 산에 다녀왔어.
> 영찬: 등산을 좋아하나 보구나. 매주 가니?
> 찬호: 아빠는 매주 가시지만 나는 아니야. 어쩌다 아빠랑 가고 싶을 때 따라가는 정도야.
> 영찬: 힘들지는 않아?
> 찬호: 조금 힘들 때도 있지만 정상에 올라서면 힘든 건 금방 잊어버려. 높은 곳에서 바람을 맞는 기분이 무척 좋거든. 거기서 도시락을 먹는 맛도 정말 좋아.
> 영찬: 와 좋겠다. ㉠ 우리 아빠는 등산을 별로 좋아하지 않으시거든.
> 찬호: 그래? 아빠한테 한번 말씀드려 볼게.

① 다음에는 언제 갈 거니?
② 이번 주말에는 어떤 산을 갈 거야?
③ 주형이네 아빠도 등산을 좋아하시니?
④ 혹시 다음에는 나도 따라갈 수 있을까?
⑤ 왜 우리 아빠는 등산을 좋아하지 않으실까?

03 다음 대화에서 영미에 대해 바르게 짐작한 것은? ( )

① 영미는 미술 숙제를 다 해 온 것 같다.
② 영미는 매일 미술 학원에 가는 것 같다.
③ 영미는 평소에 그림을 잘 그리는 것 같다.
④ 영미는 찬호를 별로 좋아하지 않는 것 같다.
⑤ 영미는 오늘 미술 학원에 가고 싶지 않은 것 같다.

04 | 보기 |의 관계로 묶을 수 있는 낱말끼리 짝지어진 것은? ( )

| 보기 |

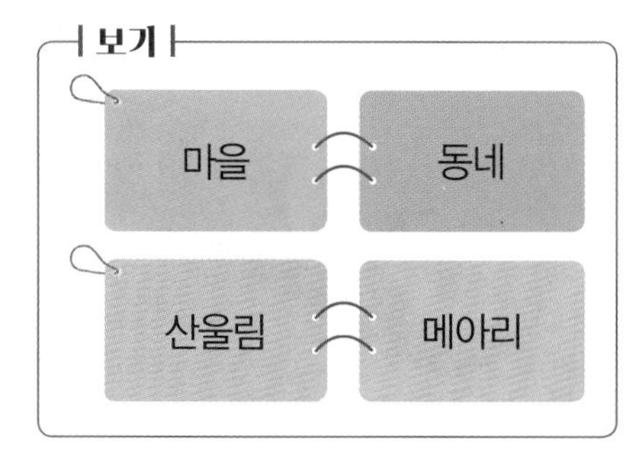

① 가다, 오다, 자다, 먹다
② 책상, 의자, 연필, 공책
③ 친구, 동무, 추석, 한가위
④ 남자, 동물, 여자, 강아지
⑤ 꽃, 진달래, 무궁화, 개나리

[05~06] 다음 글을 읽고 물음에 답하시오.

김밥은 많은 친구들이 좋아하는 음식입니다. 들어가는 재료에 따라서 야채 김밥, 참치 김밥, 소고기 김밥 등 종류도 여러 가지이지요. 여러 가지 재료가 한꺼번에 들어간 김밥은 맛도 영양도 좋습니다. 그럼 오늘은 김밥을 한번 만들어 볼까요?

먼저 김밥에 들어갈 재료를 준비합니다. 기본이 되는 밥과 김 외에 오이, 햄, 단무지, 시금치, 계란, 당근, 피망 등 좋아하는 재료를 4~5가지 정도 선택해서 길게 썰어 둡니다. 야채는 많을수록 좋아요.

김밥에 들어갈 재료가 준비되었으면 김 위에 밥을 넓게 펴서 바릅니다. 이때 밥의 양이 너무 적으면 김을 말 때 김이 밥과 함께 잘 붙지 않고, 밥의 양이 너무 많으면 김을 완전히 말 수 없습니다. 들어갈 재료의 양을 생각하여 밥의 양을 적당히 조절하는 것이 중요합니다.

이제 준비한 재료를 밥 위에 올려놓고 한쪽 끝부터 김을 말아 줍니다. 이때 김 아래에 김발을 깔아 김발을 이용해서 말면 더욱 깔끔하고 예쁜 모양으로 말 수 있습니다.

잘 말아진 김밥은 도마 위에 놓고 먹기 좋은 크기로 썰어 줍니다. 속 재료가 밖으로 빠져나오지 않게 김밥을 가볍게 잡고 썰면 김밥 만들기가 다 끝납니다. 이제 친구들과 함께 맛있게 먹을 일만 남았지요?

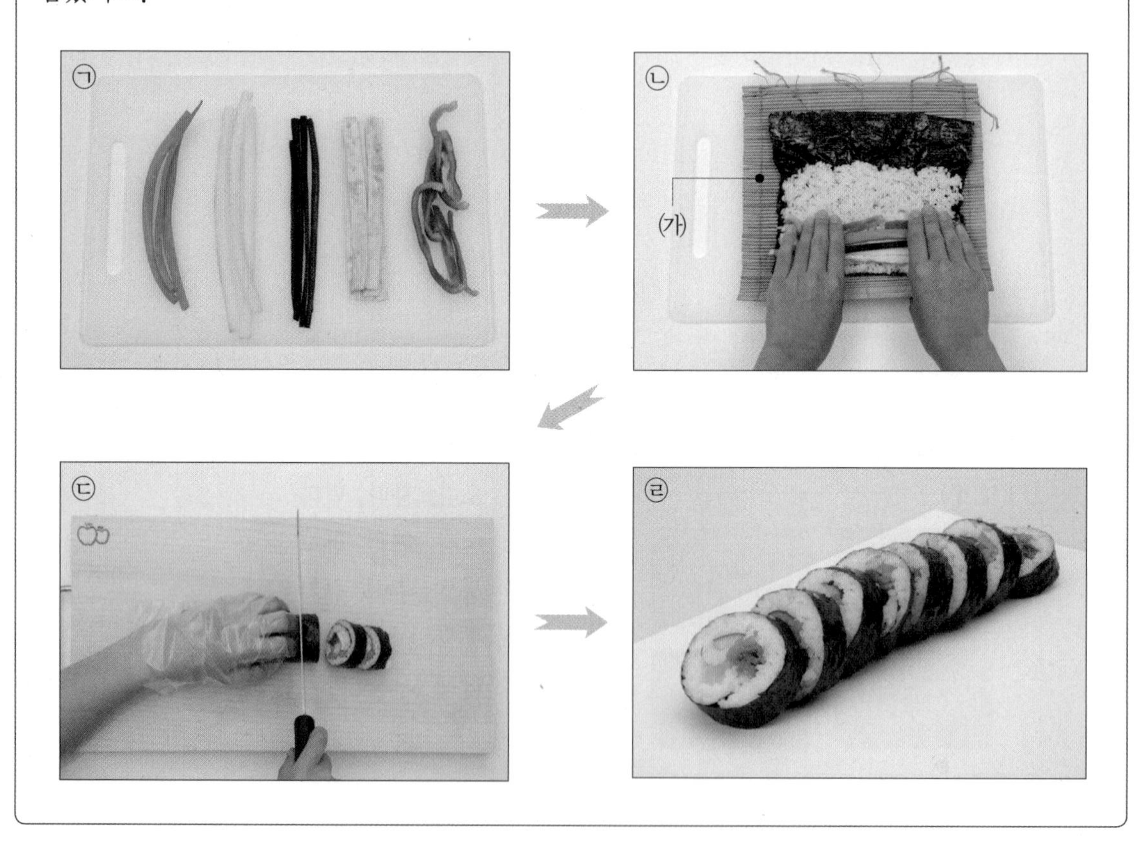

05 글의 내용으로 보아 ㉡ 사진에 표시된 ㈎의 역할로 가장 알맞은 것은? ( )

① 김밥을 보기 좋게 말아 주는 역할을 한다.
② 김밥에 들어갈 밥의 양을 조절해 주는 역할을 한다.
③ 김밥을 썰 때 먹기 좋은 크기를 조절해 주는 역할을 한다.
④ 김밥을 말 때 바닥의 먼지가 김에 묻지 않게 하는 역할을 한다.
⑤ 김 위에 재료를 놓을 때 재료를 가지런히 잡아 주는 역할을 한다.

06 다음 | 보기 |의 조건을 생각할 때 ㉠과 ㉡ 사이에 들어갈 사진 자료의 내용으로 가장 알맞은 것은? ( )

| 보기 |
- 글의 내용을 이해할 수 있게 사진을 보충한다.
- 일을 하는 순서대로 사진을 나열한다.
- 각 문단의 중심 문장과 관련된 사진은 빠뜨리지 않고 모두 제시한다.

① 단무지를 세로로 길게 자르는 사진
② 계란을 부쳐서 세로로 길게 써는 사진
③ 밥에다가 소금을 뿌려 간을 하는 사진
④ 펼친 김 위에 밥을 골고루 펴서 바르는 사진
⑤ 말아진 김밥의 맨 가장자리 부분을 잘라 내는 사진

[07~09] 다음 글을 읽고 물음에 답하시오.

토끼의 재판

방정환

호랑이: (반가운 목소리로) 나그네님!
나그네: 누가 나를 부르나? (사방을 둘러본다.)
호랑이: 나그네님, 저를 좀 구해 주십시오.
나그네: (궤짝을 들여다보고) 이크, 호랑이구려! 무슨 일이오?
호랑이: 나그네님, 제발 문고리를 따고 문짝을 좀 열어 주십시오.
나그네: 뭐요? 문을 열어 달라고? 열어 주면 뛰쳐나와서 나를 잡아먹을 것이 아니오?
호랑이: 아닙니다. 제가 은혜를 모르고 그런 짓을 할 리가 있겠습니까? (앞발을 비비며 자꾸 절을 한다.)
나그네: 허허, 알았소. 설마 거짓말이야 하겠소? 내가 이 궤짝 문을 열어 주리다. 그 대신 약속을 꼭 지키시오.
호랑이: 네, 얼른 좀 열어 주십시오. 배가 고파서 눈이 빠질 지경입니다.

나그네가 문을 열자, 호랑이가 뛰쳐나와 나그네를 잡아먹으려고 덤빈다.

나그네: 이게 무슨 짓이오? 약속을 지키지 않고…….
호랑이: 하하, 궤짝 속에서 한 약속을 궤짝 밖에 나와서도 지키라는 법이 어디 있어?
나그네: 조금 전에 은혜를 모를 리가 있지 않겠느냐고 하면서 ㉠애걸복걸하지 않았소?
호랑이: 은혜 모르기는 사람이 더하지. 그러니까 사람은 보는 대로 잡아먹어도 괜찮아.
나그네: 아니, 그런 법이 어디 있소? 우리 누가 옳은지 한번 물어보세.
호랑이: 좋아, 소나무에게 물어보자.

나그네: 소나무님, 소나무님! 당신도 보셨으니까 사정을 아시지요? 호랑이가 옳습니까, 제가 옳습니까?
소나무: 물론 호랑이가 옳지. 왜냐하면 사람은 내가 맑은 공기를 마시게 해 주는데도 나를 마구 꺾고 베어 버리기 때문이야. 호랑이야, 얼른 잡아먹어 버려라.
호랑이: 자, 어때? 내가 옳지?
나그네: (머리를 긁으며) 길한테 한 번 더 물어보세. 길님, 길님! 다 보고 들으셨지요? 호랑이가 옳습니까, 제가 옳습니까?
길: 물론 호랑이가 옳지. 왜냐하면 사람들은 날마다 나를 밟고 다니면서도 고맙다는 말 한마디를 하지 않기 때문이야. 코나 흥흥 풀어 팽개치고, 침이나 탁탁 뱉잖아? 호랑이야, 얼른 잡아먹어 버려라.

호랑이가 입을 쩍 벌리고 나그네를 잡아먹으려고 한다.

나그네: (㉡) 잠깐, 한 번 더 물어봐야지. 재판도 세 번은 해야 하지 않소?

07 글의 내용으로 보아 ㉠'애걸복걸'의 뜻을 짐작한 것으로 가장 알맞은 것은? ( )

① 화를 내며 위협하는 것
② 어려운 이를 도와주는 것
③ 자신만만하게 장담하는 것
④ 애처롭고 간절하게 비는 것
⑤ 작은 목소리로 속삭이는 것

08 ㉡ 에 들어갈 나그네의 말투로 가장 알맞은 것은? ( )

① 유쾌한 목소리로
② 점잖은 목소리로
③ 다급한 목소리로
④ 거만한 목소리로
⑤ 미안해하는 목소리로

09 다음 중 소나무와 길의 의견이 옳지 않다고 말한 친구를 모두 고른 것은? ( )

소현: 이미 마음속에 굳어진 생각이나 의견을 가지고 어떤 일에 대해 판단을 내리면 안 돼. 그런 걸 선입견이라고 하지.
동호: 하나를 보면 열을 안다고 했어. 평소에 행실이 바르지 않으면 그 대가가 따르는 건 당연하다고 생각해.
수희: 사람은 항상 자연을 함부로 대해. 자기들이 살 수 있는 것은 자연이 있기 때문이라는 것을 몰라. 사람이 벌을 받는 것은 당연해.
옥희: 자신이 처한 상황과 다른 이가 처한 상황은 달라. 자신이 처한 상황을 근거로 다른 이에 대해 판단하면 실수를 하게 돼.

① 소현, 동호
② 수희, 옥희
③ 동호, 옥희
④ 동호, 수희
⑤ 소현, 옥희

10 다음 상황에서 하은이가 어머니께 전할 말을 높임 표현에 맞게 말한 것은? ( )

> 할머니: 하은이니? 엄마한테 할머니가 세 시쯤 너희 집에 도착할 것 같다고 전해 주렴.
> 하은: 네, 할머니.

① 엄마, 할머니가 세 시쯤 집에 도착할 것 같다고 말했어요.
② 엄마, 할머니께서 세 시쯤 집에 도착할 것 같다고 말했어요.
③ 엄마, 할머니께서 세 시쯤 댁에 도착할 것 같다고 말했어요.
④ 엄마, 할머니께서 세 시쯤 집에 도착하실 것 같다고 말씀하셨어요.
⑤ 엄마, 할머니께서 세 시쯤 댁에 도착하실 것 같다고 말씀하셨어요.

11 다음 이야기에서 짐작할 수 있는 내용으로 알맞은 것은? ( )

> 집에 놀러 오신 할머니께서 다시 시골로 내려가실 때면 정은이에게 엄마 말 잘 들으라며 용돈을 쥐어 주십니다.
> 그런데 이번에는 할머니를 배웅해 드리고 온 정은이의 표정이 좋지 않습니다.
> "할머니 가신 게 그렇게 서운해?"
> 엄마가 묻자 정은이는
> "몰라! 이제 엄마 말 잘 안 들을 거야!"
> 하고 제 방으로 들어가 버렸습니다.

① 할머니는 평소에 정은이를 귀찮아하신 것 같다.
② 할머니는 평소보다 일찍 시골에 내려가신 것 같다.
③ 할머니는 정은이에게 용돈을 주지 않으신 것 같다.
④ 정은이는 할머니를 따라 시골에 가고 싶었던 것 같다.
⑤ 정은이는 할머니께서 시골에 가시는 게 싫었던 것 같다.

12 다음 중 밑줄 그은 낱말이 맞춤법에 맞는 것은? ( )

① 하늘을 날으는 갈매기
② 별빛이 소근소근 이야기합니다.
③ 베게가 너무 높아서 목이 아파요.
④ 과식을 하는 것은 좋지 않습니다.
⑤ 자기 전에는 반듯이 양치질을 합니다.

13 다음 글에서 ㉠을 | 보기 |와 같이 바꿀 때, 바뀌어야 할 ㉡의 내용으로 알맞은 것은? ( )

> 지구가 평평하지 않고 둥글다는 사실을 어떻게 알 수 있을까? ㉠지구가 평평하다면 먼 바다에서 육지로 들어오는 배는 배 전체의 모습이 작게 보였다가 배가 육지로 다가오면서 점점 크게 보일 것이다. ㉡그러나 실제로 바다에서 육지를 향해 들어오는 배는 배의 윗부분이 먼저 보이고 점차 그 아랫부분이 보인다. 지구가 둥글기 때문에 배가 지구의 둥근 곡선을 따라 위로 올라오는 것처럼 보이는 것이다.

| 보기 |

> 지구가 평평하다면 육지에서 먼 바다로 나가는 배는 커다란 배의 뒷모습이 점점 작아지는 것처럼 보일 것이다.

① 그러나 실제로 지구는 둥글기 때문에 지구의 둥근 곡선을 따라 배가 올라오는 것처럼 보인다.
② 그러나 실제로 지구는 둥글기 때문에 배는 배의 윗부분이 먼저 보이고 점차 그 아랫부분이 보인다.
③ 그러나 실제로 육지를 향해 들어오는 배는 배의 아랫부분부터 먼저 보이고 점차 배의 윗부분이 보인다.
④ 그러나 실제로 육지에서 먼 바다로 나가는 배는 배의 윗부분부터 점점 물속으로 가라앉는 것처럼 보인다.
⑤ 그러나 실제로 육지에서 먼 바다로 나가는 배는 배의 아랫부분부터 점점 물속으로 가라앉는 것처럼 보인다.

[14~15] 다음 글을 읽고 물음에 답하시오.

갯벌은 육지에서 나오는 오염 물질을 분해해 좋은 환경을 만듭니다. 갯벌은 겉으로는 그냥 진흙탕처럼 보이지만 작은 생물이 갯벌에 많이 살고 있습니다. ㉠ 이 생물들은 오염 물질 분해가 잘 이루어지게 합니다. ㉡ 갯벌에서 흔히 사는 갯지렁이도 오염 물질 분해를 돕습니다. ㉢ 갯벌은 기후를 조절하고 홍수를 줄여 주는 역할을 합니다. ㉣ 갯벌 흙은 물을 많이 흡수해 저장했다가 내보내는 기능을 합니다. ㉤ 그러므로 갯벌은 비가 많이 오면 빗물을 저장해 갑작스러운 홍수를 막아 줍니다. 그리고 주변 온도와 습도에 따라 물을 흡수하고 내보내는 역할을 알맞게 수행해 기후를 알맞게 만들어 줍니다.

14 이 글의 중심 내용 두 가지를 찾아 문단을 나눌 때 ㉠~㉤ 중 두 번째 문단이 시작하는 문장으로 알맞은 것은? ( )

① ㉠
② ㉡
③ ㉢
④ ㉣
⑤ ㉤

15 다음과 같은 목적으로 이 글을 읽었을 때 이 글에서 필요한 내용을 가장 바르게 정리한 것은? ( )

꿀을 모으는 벌이 사람에게 도움을 주는 것처럼 우리 생활에 이로운 동물은 또 무엇 무엇이 있는지 알고 싶다.

① 갯벌은 오염 물질을 분해해 좋은 환경을 만들어 준다.
② 갯벌은 기후를 조절하고 홍수를 줄여 주는 역할을 한다.
③ 갯지렁이는 오염 물질을 분해해 좋은 환경을 만들어 준다.
④ 갯벌은 진흙탕처럼 보이지만 작은 생물이 많이 살고 있다.
⑤ 비가 많이 오면 갯벌은 빗물을 저장해 갑작스러운 홍수를 막아 준다.

[16~17] 다음 글을 읽고 물음에 답하시오.

'저것은 지금까지 발견하지 못한 나비야.'
나비가 나는 모습만 보아도 암컷인지 수컷인지 알 수 있는 석주명이었습니다. 그는 가슴이 두근거렸습니다.
나비는 잡힐 듯 잡힐 듯 하면서도 계속 날아갔습니다. 석주명은 있는 힘을 다해 나비를 뒤쫓았으나 나비는 어디론가 사라져 버렸습니다.
'어떻게 해서든지 저 나비를 잡아야 해.'
석주명은 나비를 찾으려고 풀숲도 헤쳐 보고 나뭇가지도 흔들어 보며 온 산을 헤매고 다녔습니다. 여기저기 부딪쳐 멍이 들고 나뭇가지에 살갗이 긁혀 피가 흘렀습니다.
그러기를 여러 시간, 그는 마침내 나비를 잡을 수 있었습니다. 우리나라에서는 처음 발견한 나비였습니다. 석주명은 이 나비한테 '지리산팔랑나비'라는 이름을 붙였습니다.

16

이 글을 통해 석주명에 대해 알 수 있는 사실은? ( )

① 나이가 많다.
② 나비를 연구한다.
③ 등산을 좋아한다.
④ 동물을 사랑한다.
⑤ 지리산에 살고 있다.

17

이 글을 통해 알 수 있는, 석주명의 성격을 가장 잘 드러내는 말은? ( )

① 황금 보기를 돌같이 하라.
② 가는 말이 고와야 오는 말이 곱다.
③ 끈질기게 노력하면 못 이룰 일이 없다.
④ 부모님 살아 계실 적에 효도를 다하여라.
⑤ 건강을 잃는 것은 모든 것을 잃는 것이다.

[18~19] 다음 글을 읽고 물음에 답하시오.

늙고 병든 농부는 삼 형제가 걱정되었어요. 자리에 누운 농부는 삼 형제를 불렀어요.

"내가 저 포도밭에 보물을 숨겨 두었단다. 포도나무 뿌리가 닿지 않는 곳에 묻어 두었는데 어디에 두었는지 정확히 모르겠구나. 너희들이 한번 찾아보아라."

농부가 세상을 떠나고 난 뒤 삼 형제는 농부가 말한 보물을 찾기 위해 넓은 포도밭을 뒤졌어요. 포도나무 뿌리가 닿지 않는 곳에 포도를 묻어 두었다고 한 아버지의 말씀을 떠올리며 포도밭 이곳저곳을 열심히 파 보았지요. 하지만 어느 누구도 보물을 발견할 수는 없었어요.

"보물은커녕 동전 하나도 나오지 않는걸?"

"아버지께서 거짓말을 하셨을 리는 없을 텐데……."

"형님들, 조금만 더 파 봅시다. 아버지께서 포도밭 깊은 곳에 보물을 숨겨 두셨나 보아요."

삼 형제는 힘을 합쳐 포도밭을 갈았지만 포도밭 어디에서도 보물은 나오지 않았어요. ㉠<u>그 대신 삼 형제가 포도밭 곳곳을 갈아엎은 덕에 땅은 더 기름지고 무성하던 잡초도 사라졌지요.</u>

18

㉠으로 보아 이 뒤에 이어질 이야기로 가장 알맞은 것은? ( )

① 삼 형제는 보물찾기를 포기하고 여행을 떠났다.
② 삼 형제는 포도밭을 팔아 재산을 똑같이 나눠 가졌다.
③ 삼 형제는 포도나무 대신 사과나무를 심어 부자가 되었다.
④ 삼 형제가 보물 상자를 발견했지만 서로 가지려고 다투게 되었다.
⑤ 삼 형제가 열심히 포도밭을 간 덕에 어느 때보다 포도가 많이 열렸다.

19

세상을 떠나기 전 농부가 걱정한 것으로 알맞은 것은? ( )

① 삼 형제가 욕심이 많은 것
② 삼 형제가 효도를 하지 않는 것
③ 삼 형제가 장가를 가지 않는 것
④ 삼 형제가 매일 다투기만 하는 것
⑤ 삼 형제가 게을러서 일을 하지 않는 것

[20~21] 다음 시를 읽고 물음에 답하시오.

공 튀는 소리

신형건

이틀째 앓아누워
학교에 못 갔는데, 누가 ㉠벌써
학교 갔다 돌아왔는지
㉡골목에서 공 튀는 소리 들린다.

㉢탕탕–
땅바닥을 두들기고
탕탕탕–
담벼락을 두들기고
탕탕탕탕–
꽉 닫힌 창문을 두들기며
골목 가득 울리는
소리

내 방 안까지 들어와
이리 튕기고 저리 튕겨 다닌다.

㉣까무룩 또 잠들려는 나를
뒤흔들어 깨우고는, 내 몸속까지
뛰어 들어와 탕탕탕–
내 맥박을 ㉤두들긴다.

20

㉠~㉤ 중 어떤 대상의 소리나 모양을 비슷하게 흉내 내어 주는 말끼리 짝지은 것은? ( )

① ㉠, ㉡
② ㉡, ㉢
③ ㉢, ㉣
④ ㉣, ㉤
⑤ ㉠, ㉣

21

이 시의 감각적 표현에 대해 바르게 말한 것은? ( )

① 몸에서 열이 나는 느낌을 직접 피부를 만지듯이 실감 나게 표현했다.
② 방 안까지 울리는 공 튀는 소리가 눈에 보이는 것처럼 실감 나게 표현했다.
③ 골목에서 아이들이 공을 차며 노는 모습을 직접 보듯이 실감 나게 표현했다.
④ 골목 가득 울리는 아이들의 웃음소리를 직접 귀로 듣듯이 실감 나게 표현했다.
⑤ 말하는 이가 친구들과 함께 공을 차는 모습을 직접 눈으로 보듯이 실감 나게 표현했다.

[22~24] 다음 글을 읽고 물음에 답하시오.

배가 갑자기 앞으로 쑥 가는데
"우아아아아아아."
㉠엄청나게 ㉡빠른 물살과 함께 바람이 몰아쳤어요.
"모두 앞에 있는 손잡이를 꽉 ㉢잡아!"
*적혈구 대장이 소리쳤어요.
*백혈구는 너무 신나 소리쳤어요.
"진짜 ㉣재밌다!"
아기 산소들이 놀라서 응애 하며 울자*혈소판이 뒤에서 피리를 불며 노래를 불러 주었어요. 산소 옆에 ㉤앉은 적혈구들도 산소들을 달래 주었죠. 빠르게 지나가는 통로 위 교통 표지판엔*대동맥이라고 적혀 있었어요. 대장이 수첩을 보며 말했죠.
"대동맥, 여기가 대동맥이야."
그렇게 세찬 물을 타고 한참을 가니*모세 혈관 표지판을 지나쳤어요. 그리고 반짝이는 조그만 문이 있었죠.
"대장! 여기야 여기."
적혈구가 배에 있는 스위치를 누르자 배가 스르륵하며 문 앞으로 다가갔어요.
"다 왔습니다! 아기 산소 내리세요."
모두가 손뼉을 치며 축하해 주자 1번 아기 산소가 적혈구들에게 인사하고는 집으로 돌아갔어요. 꼬마 직원 모두 아기 산소가 문을 닫을 때까지 손을 흔들어 주었죠.
그렇게 2번, 3번 아기 산소와 영양소들을 데려다주다 보니 벌써 7번째 아기 산소를 데려다줄 차례였어요.

「산소 배달부가 된 친구들」 김상미

*적혈구, 백혈구, 혈소판: 피 속에 들어 있는 여러 가지 성분.
*대동맥: 심장에서 온몸으로 뻗어나가는 커다란 핏줄.
*모세 혈관: 온몸에 그물 모양으로 퍼져 있는 매우 가느다란 핏줄.

22 ㉠~㉤ 중 성질이나 상태를 나타내는 낱말을 모두 찾아 국어사전에 실리는 순서대로 나열한 것은? ( )

① ㉡ - ㉠
② ㉤ - ㉢
③ ㉡ - ㉣
④ ㉡ - ㉠ - ㉤
⑤ ㉡ - ㉠ - ㉣

23 이 이야기의 인물, 사건, 배경 등에 대해 잘못 이해한 것은? ( )

① 사람이 아닌 여러 대상을 인물로 표현하였다.
② 핏줄을 여행하는 과정이 재미있게 표현되었다.
③ 적혈구는 어른으로, 산소는 아기로 표현하였다.
④ 우리 몸의 핏줄 안에서 일어나는 일을 사건으로 표현하였다.
⑤ 실제 바다를 배경으로 거친 파도와 싸우는 사건이 일어나고 있다.

24 이 이야기에서 일어난 사건을 통해 우리 몸에 대해서 알 수 있는 점을 바르게 말한 친구는? ( )

> 현아: 뼈는 몸의 형태를 유지하는 역할을 한다는 것을 알 수 있어.
> 다현: 우리 몸의 성장판은 키를 자라게 하는 역할을 한다고 들었어.
> 우정: 적혈구는 산소를 우리 몸 곳곳에 운반하는 역할을 하는구나.
> 수영: 몸에 피가 나면 혈소판이 상처 난 곳을 막아 주는 역할을 한대.
> 초희: 백혈구는 우리 몸에 들어온 나쁜 균들을 잡아먹는다고 들었어.

① 현아 ② 다현
③ 우정 ④ 수영
⑤ 초희

25 다음과 같이 글로 쓸 내용을 떠올렸습니다. ㉠~㉤ 중 나머지와 어울리지 않는 것은? ( )

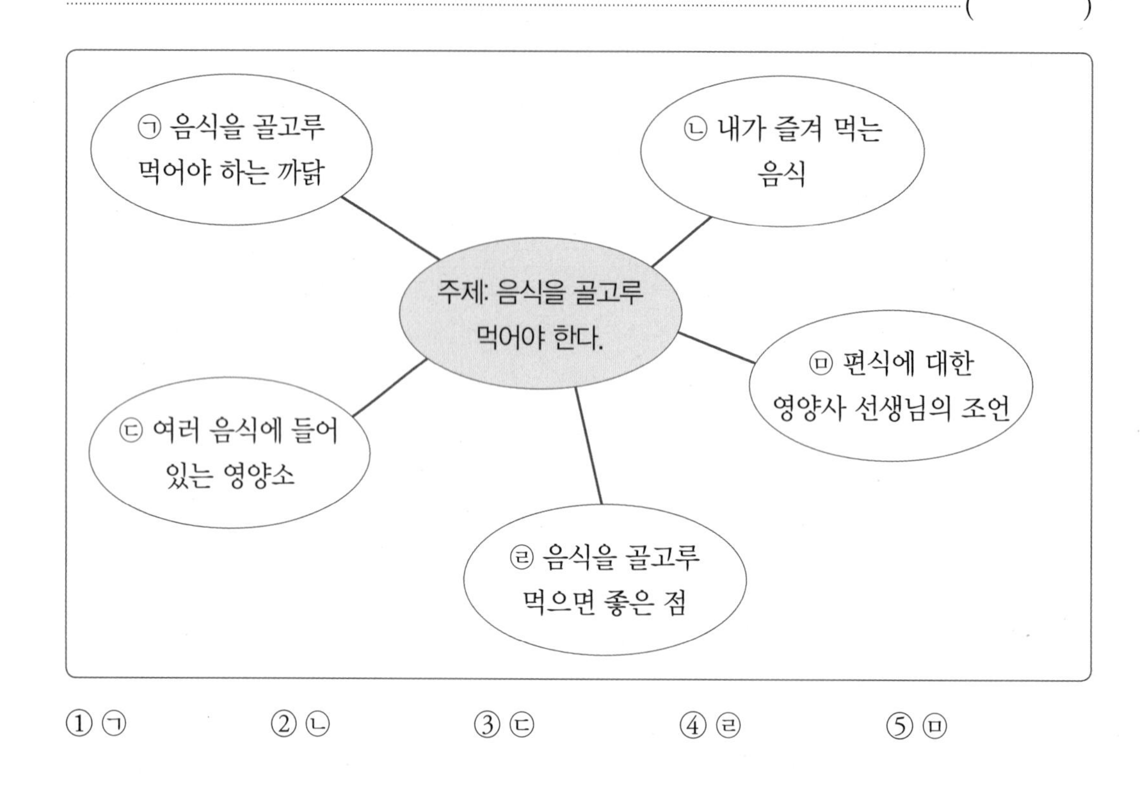

① ㉠ ② ㉡ ③ ㉢ ④ ㉣ ⑤ ㉤

26 다음 글의 [ ] 안에 써넣을 문장으로 가장 알맞은 것은? ( )

> 미국에 하이만이라는 화가가 있었다. 하이만은 그림을 그리다 잘못 그리면 지우개로 선을 지워야 했는데 매번 지우개를 어디에다 두었는지 잊어버리기 일쑤였다. 지우개 찾기가 불편했던 하이만은 여러 가지 방법을 떠올렸는데 그러다가 발명된 것이 지우개 달린 연필이다. 그래서 [ ].

① 발명은 세상을 바꾼다고 하나 보다
② 발명과 발견은 다르다고 하나 보다
③ 불편은 발명의 어머니라고 하나 보다
④ 업은 아기를 삼 년 찾는다고 하나 보다
⑤ 낫 놓고 기역 자도 모른다고 하나 보다

27 | 보기 |의 여러 가지 문장 중 중심 문장과 뒷받침 문장을 찾아 바르게 정리한 것은? ··· (　　　　)

| 보기 |

㉠ 불로 음식을 익혀 먹기도 했습니다.
㉡ 불을 피워 추위를 이겨 낼 수 있었습니다.
㉢ 불은 원시인의 삶을 크게 바꾸어 놓았습니다.
㉣ 가스 불을 켜 놓고 다른 일을 보면 위험합니다.
㉤ 불을 피워 사나운 동물의 공격도 막을 수 있었습니다.
㉥ 불은 우리 생활에 편리하지만 매우 위험하기도 합니다.
㉦ 신화에서 불은 인간이 신들이 사는 세계에서 훔쳐 왔다고 합니다.

①

중심 문장	뒷받침 문장
㉥	㉠, ㉡, ㉤

②

중심 문장	뒷받침 문장
㉦	㉠, ㉡, ㉥

③

중심 문장	뒷받침 문장
㉢	㉠, ㉡, ㉤

④

중심 문장	뒷받침 문장
㉥	㉡, ㉣, ㉤, ㉦

⑤

중심 문장	뒷받침 문장
㉢	㉠, ㉡, ㉤, ㉥

28 다음 중 | 보기 |와 같은 방법으로 만들어진 낱말이 아닌 것은? ··· (　　　　)

| 보기 |

돌+다리 → 돌다리
손+가방 → 손가방
구름+다리 → 구름다리

① 물병
② 솜이불
③ 고구마
④ 책가방
⑤ 병뚜껑

[29~30] 다음 글을 읽고 물음에 답하시오.

최근 어린이들의 스마트폰 사용 시간이 꾸준히 늘면서 우려의 목소리가 커지고 있다. 특별한 목적 없이 하루에도 수십 번씩 스마트폰을 열어 보거나 여가 시간의 대부분을 스마트폰을 쓰는 데 활용한다는 어린이들이 많다. 초등학교 4, 5, 6학년을 대상으로 한 이번 조사에서 스마트폰의 하루 사용 시간이 6시간 이상이라고 대답한 친구들도 42명이나 된다.

[표 1] 초등학생의 하루 중 스마트폰 이용 시간 (총 518명 조사)

이용 시간	인원
6시간 이상	42명
4~6시간	73명
2~4시간	185명
1~2시간	154명
1시간 미만	64명

(가로축: 50명, 100명, 150명, 200명)

스마트폰 중독은 스마트폰 없이는 견딜 수 없는 병적인 상태를 말한다. 스마트폰을 가지고 있지 않으면 불안감을 느끼고 초조해지며 쉽게 짜증을 내기도 한다. 스마트폰을 보며 걷다가 교통사고를 유발하기도 하고 자야 할 시간에 스마트폰을 보다가 불면증을 호소하기도 한다. 과도한 스마트폰 사용은 두통, 어지럼증의 원인이 되기도 하고 직접적인 인간관계가 줄면서 우울증이나 무기력증을 일으키기도 한다.

[표 2] 초등학생이 주로 스마트폰을 이용하는 목적

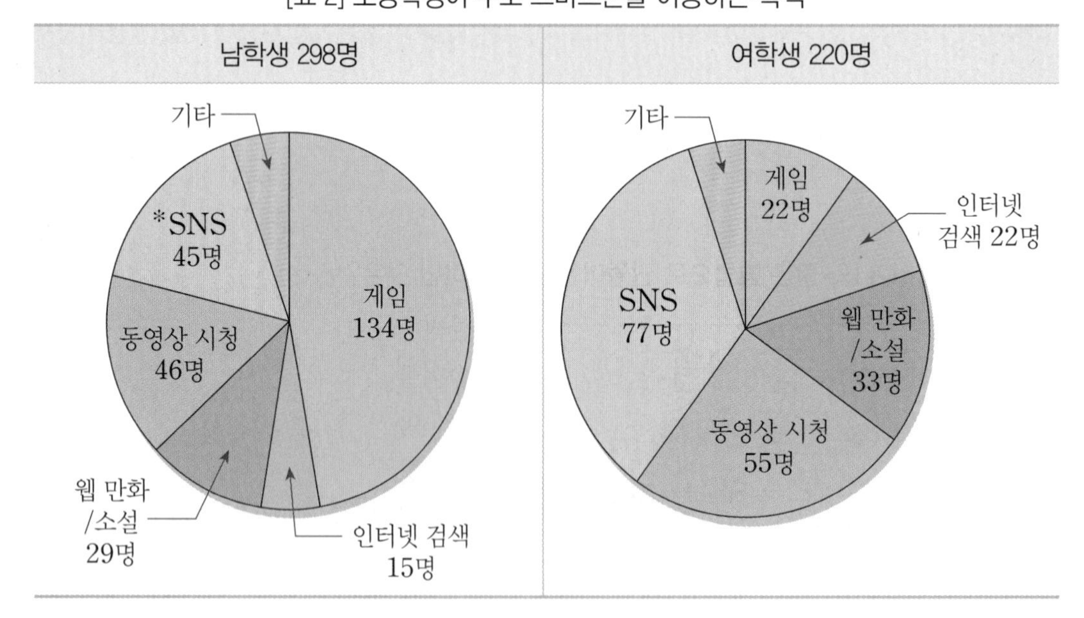

*SNS: 소셜 네트워크 서비스. 인터넷 등 통신망에 접속하여 대화나 정보를 주고받는 모든 활동.

29 글의 내용과 [표 1]의 그래프를 통해 알 수 있는 점이 아닌 것은? (   )

① 하루에 두 시간 이상 스마트폰을 사용하면 스마트폰 중독이라고 볼 수 있다.
② 스마트폰 중독은 두통, 어지럼증, 불면증, 우울증의 원인이 되기도 하는 심각한 질병이다.
③ 하루 네 시간 이상 스마트폰을 사용한다고 대답한 초등학생은 조사 대상 중 115명 정도이다.
④ 하루 두 시간 이하로 스마트폰을 사용한다고 대답한 초등학생은 조사 대상 중 218명 정도이다.
⑤ 하루에 2~4시간 정도 스마트폰을 사용한다고 대답한 초등학생이 조사 대상 중에서는 가장 많다.

30 [표 2]를 참고하여 스마트폰 중독을 예방하기 위한 방법에 대해 글을 쓸 때, 쓸 수 있는 내용으로 알맞지 않은 것은? (   )

① 게임, 동영상 시청, SNS가 초등학생의 스마트폰 중독의 주요 원인이 될 수 있다.
② 남학생들은 우선 스마트폰으로 게임하는 시간을 줄이기 위해 노력하는 것이 좋다.
③ 여학생들은 우선 SNS 이용 시간을 줄이고 친구들과 직접 만나는 시간을 늘리는 것이 좋다.
④ 남학생들은 스마트폰을 이용한 게임 시간을 줄이고 SNS를 통해 대인 관계를 넓히는 것이 좋다.
⑤ 하루에 스마트폰을 이용하는 적절한 시간을 정하고, 특별한 목적이 없이는 스마트폰을 보지 않으려 노력하는 것이 좋다.

실전 모의고사 2회

점수

01 다음 대화에서 밑줄 그은 ㉠의 뜻으로 가장 알맞은 것은? ( )

> 수영: 안녕하세요?
> 의사 선생님: 그래, 어디가 아파서 왔니?
> 수영: 공놀이를 하다가 넘어져서 무릎이 까졌어요.
> 의사 선생님: 이런. 많이 아팠겠구나. ㉠어디 좀 보자.

① 함께 어디를 가서 보자.
② 상태가 어떠한지 보여 달라.
③ 다친 곳을 가만히 두고 보자.
④ 어디에서 넘어졌는지 알려 달라.
⑤ 어디에서 공놀이를 했는지 알려 달라.

02 다음 대화에서 ㉠과 같은 행동의 의미를 바르게 이해한 것은? ( )

> 어머니: 어서 나와. 시간 다 됐다.
> 아들: 네, 곧 나가요.
> 어머니: 마스크는 챙겼니?
> 아들: (㉠ 깜짝 놀란 표정으로 손뼉을 친다.)

① 어머니께 감사하다.
② 마스크를 챙기지 않았다.
③ 마스크를 챙길 필요가 없다.
④ 이미 마스크를 챙겨 두었다.
⑤ 밖에 나가게 되어 기분이 좋다.

03 다음 대화에서 ㉠과 ㉡에 어울리는 동호의 표정이나 몸짓, 목소리를 바르게 짝지은 것은? ( )

선생님: 김동호! 오늘도 준비물 안 챙겨 왔니?
김동호: ㉠ 네.
선생님: 매번 짝꿍 거 빌려 쓰기 미안하지도 않아?
김동호: 죄송해요.
선생님: 어휴. 오늘은 선생님 걸로 쓰고, 내일은 꼭 잊지 말고 가져와라.
김동호: ㉡ 네!

	㉠	㉡
①	작은 목소리로 뒷머리를 긁으며	팔짱을 끼고 커다란 목소리로
②	밝은 목소리로 엄지손가락을 들어 보이며	작은 목소리로 미소를 지으며
③	밝은 목소리로 고개를 숙이며	두 손을 귀에 대고
④	밝은 목소리로 미소를 지으며	작은 목소리로 고개를 숙이며
⑤	작은 목소리로 고개를 숙이며	밝은 목소리로 안심한 표정을 지으며

04 다음 중 밑줄 그은 낱말의 쓰임이 적절하지 않은 것은? ( )

① 국물이 연하여 혓바닥을 데었다.
② 봄이 되자 연한 초록빛 잎이 돋아났다.
③ 멸치는 뼈가 연해서 발라내지 않고 먹는다.
④ 식초를 물에 연하게 타서 매일 마시고 있다.
⑤ 고기를 오래 삶았더니 질기지 않고 연해졌다.

05 다음 문장에서 밑줄 그은 부분의 뜻을 가장 잘 나타낼 수 있는 낱말은? ( )

> 하루 종일 친구들과 숨바꼭질하며 뛰어놀았던 나는 집에 돌아오자마자 정신이 아득히 흐려지며 잠이 들었다.

① 깜짝
② 갑자기
③ 까맣게
④ 까무룩
⑤ 시무룩

06 다음 글의 [ ] 안에 들어갈, 문단의 중심 내용을 가장 잘 드러내는 문장은? ( )

> [ ] 감시용 로봇은 도둑이 집에 들어오는지 살피는 일을 합니다. 해양 탐사 로봇은 바다 깊은 곳에 가서 그곳 상태를 조사합니다. 정확하게 수술할 수 있도록 도와주는 의료용 로봇도 있습니다.

① 로봇은 위험한 일을 할 수 있습니다.
② 로봇은 여러 가지 일을 할 수 있습니다.
③ 로봇은 사람이 하는 일만 할 수 있습니다.
④ 로봇은 사람이 할 수 없는 일을 할 수 있습니다.
⑤ 로봇은 사람보다 더 훌륭하게 일을 할 수 있습니다.

[07~08] 다음 글을 읽고 물음에 답하시오.

닭싸움 놀이는 한쪽 다리를 들어 올려 두 손으로 잡고, 다른 다리로 균형을 잡아 ㉠깨금발로 뛰면서 상대를 밀어 넘어뜨리는 놀이입니다. 준비물이 필요하지 않고 놀이 방법이 간단해 요즘도 어린이는 물론 청소년과 어른도 즐기는 놀이입니다.
'닭싸움'은 두 사람이 겨루는 모습이 닭이 싸우는 것과 비슷하다고 해서 지어진 이름입니다. 닭싸움 놀이는 한 발로 서서 하므로 '외발 싸움', '깨금발 싸움'이라고도 부르고, 무릎을 부딪쳐 싸운다고 해서 '무릎 싸움'이라고도 부릅니다. 닭싸움 놀이는 두 명이 할 수도 있고 여러 명이 할 수도 있습니다.

07 닭싸움 놀이에 대해 잘못 이해한 것은? ( )

① 외발 싸움, 깨금발 싸움, 무릎 싸움이라고도 부른다.
② 닭싸움 놀이는 혼자서도 할 수 있고 여러 명이 할 수도 있다.
③ 닭싸움 놀이는 준비물이 필요하지 않고 놀이 방법도 간단하다.
④ 놀이하는 모습이 닭이 싸우는 것과 비슷하다고 해서 지어진 이름이다.
⑤ 한쪽 다리를 들어 올려 두 손으로 잡고, 다른 다리로 균형을 잡아 깨금발로 뛰면서 상대를 밀어 넘어뜨리는 놀이이다.

08 글 내용으로 보아 ㉠'깨금발'의 뜻을 가장 바르게 짐작한 것은? ( )

① 한 발을 앞으로 곧게 내미는 자세.
② 한 발을 들고 한 발로만 서는 자세.
③ 한 발을 들고 한 팔도 함께 든 자세.
④ 한쪽 무릎을 땅에 대고 구부린 자세.
⑤ 두 발을 어깨너비보다 좁게 모은 자세.

[09~11] 다음 글을 읽고 물음에 답하시오.

우리는 지구를 깨끗이 하려고 노력해야 합니다. 왜냐하면 지구는 앞으로도 우리가 살아갈 터전이기 때문입니다. 그런데 우리가 한 번 쓰고 난 뒤에 무심코 버리는 일회용품은 지구를 병들게 합니다. 일회용품은 평소에 사람들이 자주 쓰는 비닐봉지, 일회용 컵, 일회용 나무젓가락 따위를 말합니다. 그러므로 일회용품을 덜 쓰려면 다음과 같은 일을 실천해야 합니다.

첫째, 비닐봉지를 적게 써야 합니다. 왜냐하면 전 세계에서 매년 사용하고 버리는 비닐봉지 양이 매우 많기 때문입니다. 이것을 처리하려면 돈이 많이 듭니다. 그냥 두면 없어지는 데 500년이 넘게 걸립니다. 그러므로 물건을 사거나 담을 때에는 여러 번 쓸 수 있는 가방이나 장바구니를 활용해야 합니다.

둘째, 일회용 컵을 적게 써야 합니다. 왜냐하면 일회용 컵은 쓰기는 간편하지만 낭비하기 쉽기 때문입니다. 이렇게 낭비하면 일회용 컵의 재료가 되는 나무나 플라스틱이 많이 필요하기 때문에 환경을 더 파괴할 수 있습니다. 그러므로 일회용 컵 대신에 여러 번 쓸 수 있는 컵을 사용해야 합니다.

셋째, 일회용 나무젓가락을 적게 써야 합니다. 왜냐하면 나무젓가락을 만들려면 나무를 많이 베어야 하기 때문입니다. 일회용 나무젓가락은 나무로 만들기 때문에 환경에 피해를 주지 않을 것이라고 생각하기 쉽습니다. 그러나 일회용 나무젓가락을 만들 때 잘 썩지 않도록 약품 처리를 하기 때문에 그냥 두면 20년쯤 지나야만 자연으로 돌아간다고 합니다. 그러므로 여러 번 쓸 수 있는 젓가락을 사용해야 합니다.

09 이 글의 내용을 바르게 정리한 것은? ( )

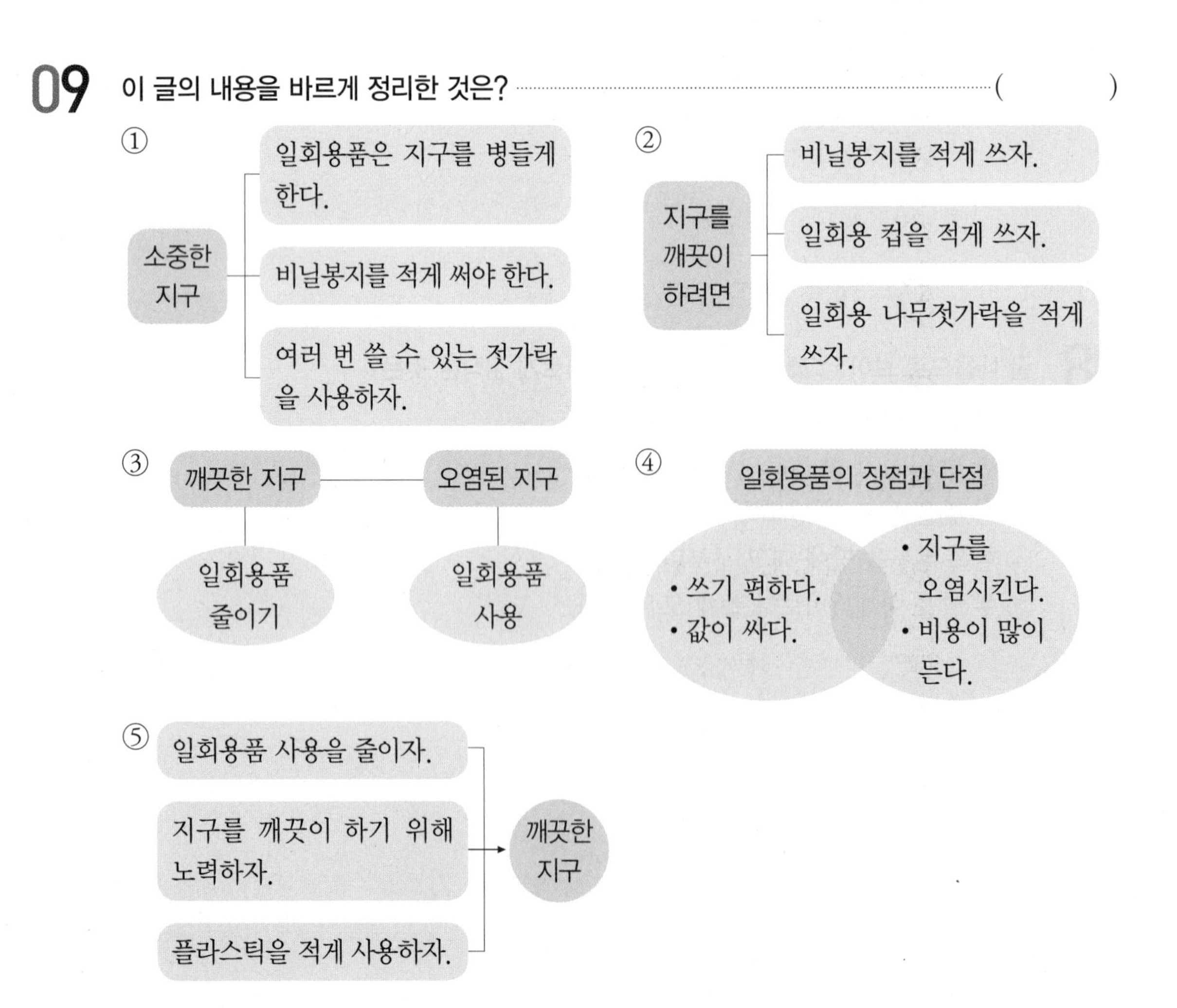

10 글쓴이가 주장하는 것을 생각할 때 다음 물건 중 나머지와 성격이 다른 하나는? ······ (　　　　)

① 종이컵　　② 비닐봉지　　③ 일회용 접시
④ 일회용 칫솔　　⑤ 시장바구니

11 다음은 이 글에 대한 친구들의 의견입니다. 글쓴이의 주장과 근거를 살펴볼 때 다음 중 적절하다고 보기 어려운 의견은? ······ (　　　　)

① 지구를 깨끗이 하려고 노력하는 일은 당연하다고 생각해. 지구는 사람과 동물이 함께 살아갈 터전이잖아.

② 정말 비닐봉지 사용을 줄여야겠어. 비닐봉지는 잘 썩지도 않아서 그대로 놔두면 온 지구가 비닐봉지로 덮여 버릴 거야.

③ 일회용 컵뿐만 아니라 유리로 만든 컵도 적게 써야 해. 유리로 만든 컵도 잘 썩지 않으니까 지구가 쓰레기로 뒤덮일 거야.

④ 나무젓가락은 괜찮을 줄 알았는데 약품 처리를 해서 잘 썩지 않는다는 것을 몰랐어. 야외에서 밥을 먹을 때도 집에서 쓰는 수저를 가져가는 게 좋겠어.

⑤ 
그러고 보면 사람을 편리하게 해 주는 물건들이 지구에는 좋지 않은 영향을 끼치는 게 많은 것 같아. 조금 불편하더라도 환경을 생각하는 생활을 해야겠어.

12 다음 글을 읽고 '날을 나타내는 말'에 대해 잘못 이해한 것은? ( )

> 지금 지나가는 이 날은 '오늘'입니다. 한자어로 '금일'이라고 하지요. 오늘의 하루 전 날은 '어저께'입니다. '어저께'를 줄여서 '어제'라고도 합니다. 어제의 하루 전 날은 '그저께', '그제'라고 하지요. 그리고 '그끄저께'는 그저께의 하루 전 날입니다. 즉 오늘의 하루 전 날은 어저께가 되고, 이틀 전 날은 그저께가 되고, 사흘 전 날은 그끄저께가 됩니다.
> 반대로 오늘의 다음 날은 '내일'입니다. 그리고 내일의 다음 날은 '내일모레' 또는 '모레'라고 합니다. 모레의 다음 날은 '글피'라고 하는데 글피는 오늘로부터 사흘 뒤의 날입니다. 그렇다면 오늘로부터 나흘 뒤의 날, 즉 글피의 다음 날은 뭐라고 할까요? 글피의 그다음 날은 '그글피'라고 합니다.

① '모레'의 다음 날은 '내일모레'이다.
② 오늘의 사흘 전 날은 '그끄저께'라고 한다.
③ '오늘'과 '금일'은 비슷한 뜻을 가진 낱말이다.
④ '내일'에서 사흘 뒤의 날은 '그글피'라고 한다.
⑤ '그저께'와 '오늘' 사이에 있는 날은 '어제'이다.

13 다음 문장을 높임 표현에 맞게 바르게 고친 것은? ( )

> 어버이날이 오면 부모님에게 카네이션을 달아 줄 거예요.

① 어버이날이 오면 부모님께 카네이션을 달아 주실 거예요.
② 어버이날이 오면 부모님께 카네이션을 달아 드릴 거예요.
③ 어버이날이 오면 부모님에게 카네이션을 달아 주실 거예요.
④ 어버이날이 오시면 부모님께 카네이션을 달아 주실 거예요.
⑤ 어버이날이 오시면 부모님께 카네이션을 달아 드릴 거예요.

[14~15] 다음 글을 읽고 물음에 답하시오.

우리 조상은 여러 가지 한과를 만들어 먹었습니다. 한과는 전통 과자를 말합니다. 한과에는 약과, 강정, 엿처럼 여러 가지가 있습니다. 요즘에는 한과를 주로 시장에서 사 먹지만, 옛날에는 한과를 집에서 만들어 먹었습니다.

약과는 밀가루를 꿀과 기름 따위로 반죽해 기름에 지진 과자입니다. 꿀물이나 조청에 넣어 두어 속까지 맛이 배면 꺼내어 먹습니다. 지금은 국화 모양을 본떠서 많이 만들지만, 옛날에는 새, 물고기 같은 모양으로 만들었다고 합니다. 약과를 만들 때에는 만들고 싶은 모양으로 나무를 파서, 반죽한 것을 그 속에 넣어 찍어 냅니다.

강정은 찹쌀가루를 반죽해 기름에 튀긴 뒤에 고물을 묻힌 과자입니다. 찹쌀가루를 반죽할 때에는 꿀과 술을 넣습니다. 그런 다음에 끈기가 생길 때까지 반죽을 쳐서 갸름하게 썰어 말린 뒤 기름에 튀깁니다. 깨, 잣가루, 콩가루와 같은 고물을 묻혀 먹습니다.

[㉠] 엿을 만드는 데 쓰이는 곡식으로는 쌀, 찹쌀, 옥수수, 조 따위가 있습니다. 엿을 만들 때 호두나 깨, 콩 따위를 섞으면 더욱 맛있습니다. 옛날에는 가락엿을 부러뜨려, 그 속의 구멍이 더 많고 더 큰 쪽이 이기는 엿치기를 하기도 하였습니다.

14

다음 | 조건 |을 모두 만족하는 이 글의 제목으로 알맞은 것은? ( )

| 조건 |
- 설명하는 대상을 짐작할 수 있는 제목
- 묻는 문장으로 읽는 이의 관심을 끄는 제목

① 약과, 강정, 엿
② 여러 가지 한과의 종류
③ 전통놀이에는 무엇이 있을까
④ 밀가루로 어떤 과자를 만들까
⑤ 옛날에는 어떤 과자를 먹었을까

15

이 글의 짜임과 문단의 특성을 생각할 때 [㉠]에 들어갈 문장으로 가장 알맞은 것은? ( )

① 엿은 시장에서 쉽게 사 먹을 수 있습니다.
② 엿의 종류에는 수수엿, 호박엿, 밤엿 등이 있습니다.
③ 다식은 여러 가지 가루를 다식판에 찍어 낸 과자입니다.
④ 엿은 곡식이나 고구마 녹말에 엿기름을 넣어 달게 졸인 과자입니다.
⑤ 오늘날은 엿보다 사탕이나 초콜릿 같은 서양과자를 더 즐겨 먹습니다.

[16~17] 다음 글을 읽고 물음에 답하시오.

"야, 저 감 참 맛있겠다!"
한음이 담 너머에 있는 감을 가리키며 말했습니다. 오성은 한음의 마음을 알아채고 감을 따려고 했습니다.
"우리 집 감을 왜 허락도 없이 따려고 하시오?"
옆집 하인이 말했습니다.
"무슨 말인가? 우리 감나무에 달린 감이야."
"도련님 댁 감이라고요? 그건 우리 감이에요. 보시다시피 우리 집으로 가지가 넘어왔잖아요."
옆집 하인이 그쪽으로 넘어간 감나무 가지를 자기네 것이라고 우기며 감을 따지 못하게 했습니다.
"그런 경우가 어디 있나? 그 감은 우리 것이네. 아무리 담 너머로 가지가 넘어갔어도 감나무는 우리 집에서 심고 가꾸었기 때문이야."
오성은 [㉠] 옆집 하인에게 말했습니다.

16

[㉠]에 들어갈 오성의 마음을 잘 나타내는 말로 알맞은 것은? ( )

① 들뜨듯이
② 수줍어하듯이
③ 시치미 떼듯이
④ 어이없다는 듯이
⑤ 안절부절못하듯이

17

다음 중 이야기 속 하인의 생각과 비슷한 생각이 담겨 있는 말은? ( )

① 물이나 공기는 원래 따로 임자가 있는 것이 아니다.
② 노력을 하지 않고 얻는 재산은 본디 자신의 것이 아니다.
③ 자식을 낳아 준 사람보다 자식을 기른 사람이 진짜 부모다.
④ 농사를 지은 사람보다 논의 주인이 더 많이 가지는 것이 마땅하다.
⑤ 호박씨를 심은 곳보다 호박이 어느 지붕 위에 열렸는지가 중요하다.

[18~19] 다음 글을 읽고 물음에 답하시오.

술래잡기는 갑자기 시작됐어. 언제나 이런 식이지. 나는 온 힘을 다해 내달렸어. 가벼운 놀이에 너무 유난 떠는 거 아니냐고? 모르는 소리 하지 마. 술래가 어린애란 말이야. 어린애들은 무서워. 내가 자기 장난감인 줄 안다니까.

"깨갱 깽."

이것 봐. 내가 발버둥 쳐도 전혀 신경 쓰지 않는 것 보라고. 구석으로 몰린 순간 내 몸은 번쩍 떠올랐어. 잡혀 버린 거지. 겨우 여섯 살 아이 손이 어찌나 끈질긴지. 푸들 체면 말이 아니네.

"괜찮아, 괜찮아."

녀석은 주문 외우듯 웅얼거렸어. 전혀 괜찮지 않은데 말이야. 하는 수 없이 그대로 있어 주기로 했어. 버둥대다가 녀석이 다치기라도 하면 어떡해. 내가 다 뒤집어쓸 거 아니야.

그 순간 철컥, 소리와 함께 내 목에 목줄이 채워졌어. 나는 무슨 일인지 몰라 주변을 둘러봤어. 산책이라면 엄마가 있어야 하잖아. 하지만 엄마는 아파. 열이 난다고 하면서 아까부터 자고 있으니 산책은 아니야. 녀석은 어쩐지 즐거워 보였어. 나를 괴롭히는 새로운 놀이라도 개발한 걸까? 골똘히 생각 중인데 ㉠갑자기 목줄이 팽팽해졌어.

「괜찮아, 괜찮아」 박연우

18 이야기를 들려주고 있는 '나'에 대한 설명으로 알맞은 것은? ( )

① 초등학생이다.
② 로봇 장난감이다.
③ 아파서 누워 있다.
④ 집에서 기르는 개이다.
⑤ 술래잡기를 좋아하는 어린아이이다.

19 ㉠으로 보아 이 글 뒤에 이어질 이야기로 가장 알맞은 것은? ( )

① 엄마가 빨랫줄에 빨래를 건다.
② 강아지가 공을 가지고 놀이를 한다.
③ 엄마가 아이와 함께 줄넘기를 한다.
④ 아이가 강아지를 이끌고 밖으로 나간다.
⑤ 아이가 술래잡기를 하다가 줄에 걸려 넘어진다.

20 다음 규리의 하루를 정리한 표를 보고, 하루 중 규리의 마음을 바르게 나타낸 그래프는? ( )

[규리의 하루]

아침	늦잠을 자서 학교에 지각을 하고 선생님께 꾸중을 들음.
1교시 사회 시간	우리 지역의 자랑거리에 대해 발표를 하게 됨. 가슴이 너무 뛰어서 발표 내용이 뒤죽박죽이 되어 버림.
3교시 음악 시간	리코더를 잘 불지 못하는 친구에게 리코더 부는 방법을 가르쳐 줌. 친구가 고맙다고 하자 어깨가 으쓱해짐.
방과 후	집으로 가는 길에 수호네 강아지를 만나 강아지를 쓰다듬어 줌. 강아지를 쓰다듬는 기분이 구름을 만지는 듯한 느낌이 듦.

①
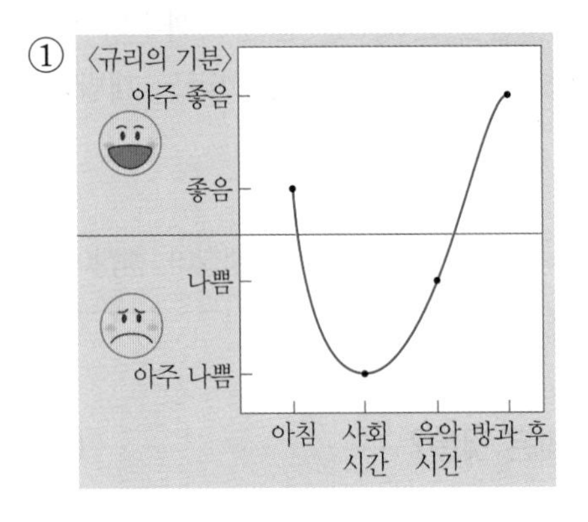

②
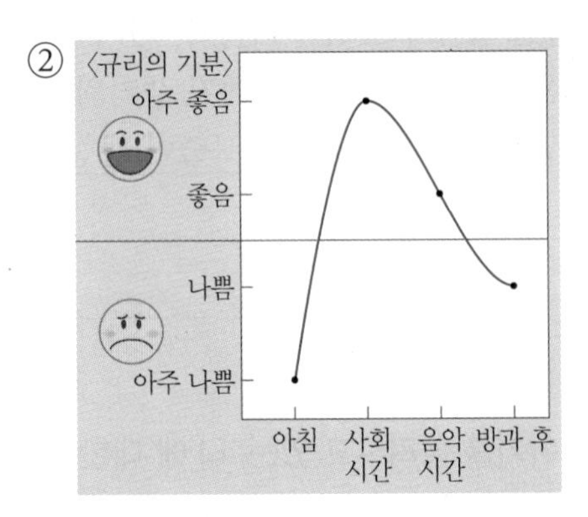

③
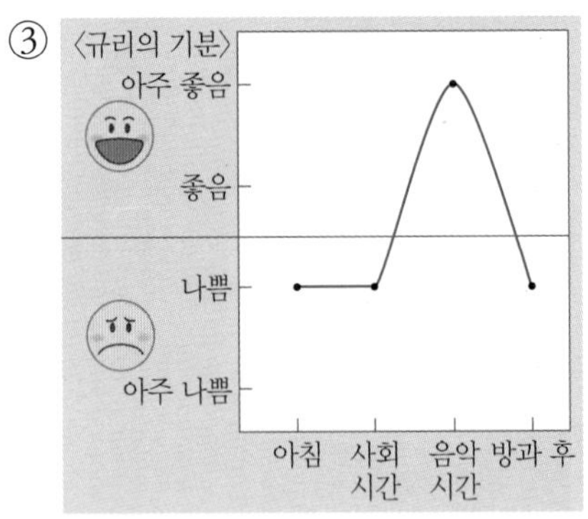

④
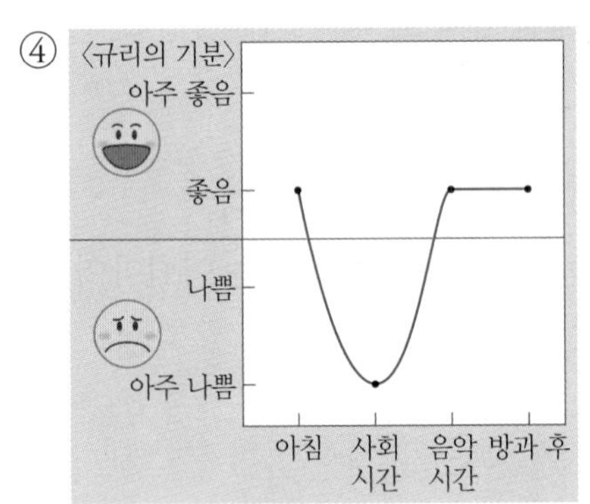

⑤
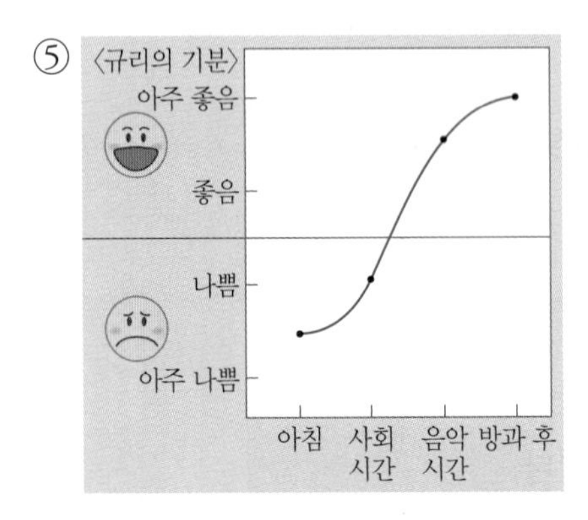

21 다음 글 내용에서 적절하지 않은 점을 찾아 바르게 이야기한 친구는? ( )

나는 한글이 세계 최고의 문자라고 생각한다. 한글에는 백성들이 글을 쉽게 읽고 쓰기를 바란 세종 대왕의 마음이 깃들어 있다. 한자는 글자 하나마다 각기 다른 뜻을 가지고 있기에 평생을 공부해도 다 배우기 힘들고, 또 중국어를 바탕으로 한 글자라 우리말을 표현하기에는 불편할 수밖에 없었다. 하지만 한글은 자음자와 모음자만 알면 소리를 그대로 표현할 수 있으니 누구나 쉽게 배우고 쓸 수 있다. 글자 하나가 하나의 소리를 낼 수 있도록 자음자와 모음자, 받침을 겹쳐서 적는 표기 방식도 정말 과학적이다. 대부분의 문자는 누가 만들었는지 알 수 없지만 한글은 만든 이가 분명하다는 점에서 한글은 정말 세계 최고의 문자이다.

▲현수

한글에 세종 대왕의 마음이 깃들어 있다는 것은 어색한 표현이야.

▲수미

한자가 중국어를 바탕으로 한 글자라는 것은 사실에 맞지 않아.

▲정희

만든 이가 분명하다고 해서 한글이 세계 최고의 문자라고는 할 수 없어.

▲다영

한글의 자음자와 모음자만 알면 소리를 표현할 수 있다는 것은 사실이 아니야.

▲장군

글자 하나가 하나의 소리를 낼 수 있도록 자음자와 모음자, 받침을 겹쳐 적는 표기 방식은 한글의 원리와 달라.

① 현수 ② 수미 ③ 정희
④ 다영 ⑤ 장군

22 다음 시를 읽고 '나'에게 일어난 일이나 '나'의 생각을 잘못 이해한 것은? ( )

국어 시험

김동윤

1번. 연필을 빌려준 친구는
어떤 친구인가요?
– (공부 잘하는 친구)

2번. 웃어른께 인사를 잘하는 친구는
어떤 친구인가요?
– (공부 잘하는 친구)

3번. 친구를 위로해 준 친구는
어떤 친구인가요?
– (공부 잘하는 친구)

그런데 나는
국어 시험 빵점

나는 정말
좋은 친구가 아닌가?

① '나'는 공부 잘하는 친구가 좋은 친구라고 알고 있다.
② '나'는 평소에 공부 잘하라는 말을 자주 들었을 것 같다.
③ '나'는 국어 시험에서 문제의 답을 '공부 잘하는 친구'라고 썼다.
④ '나'는 공부를 잘하지만 좋은 친구는 아니라고 생각하는 것 같다.
⑤ '나'는 공부를 못해도 좋은 친구라는 점을 말하고 싶어 하는 것 같다.

23 다음 [㉠]~[㉡]에 들어갈 말이 바르게 짝지어진 것은? ( )

• 동생이 무엇을 하[㉠] 말든지 상관하고 싶지가 않았다.
• 어찌나 덥[㉡] 그늘에 있어도 땀이 멈추지를 않았다.

① ㉠ – 던지, ㉡ – 는지
② ㉠ – 던지, ㉡ – 든지
③ ㉠ – 든지, ㉡ – 든지
④ ㉠ – 든지, ㉡ – 던지
⑤ ㉠ – 던지, ㉡ – 던지

24 다음 문장을 바르게 띄어 쓴 것은? ( )

필통속에는연필두자루와지우개한개가들어있다.

① 필통속에는∨연필∨두자루와∨지우개∨한개가∨들어∨있다.
② 필통∨속에는∨연필∨두자루와∨지우개∨한개가∨들어∨있다.
③ 필통속에는∨연필∨두∨자루와∨지우개∨한∨개가∨들어∨있다.
④ 필통∨속에는∨연필∨두∨자루와∨지우개∨한∨개가∨들어∨있다.
⑤ 필통∨속에는∨연필∨두∨자루와∨지우∨개∨한∨개가∨들어∨있다.

25

다음 | 보기 |의 상황에서 미희가 다른 친구들에게 할 말을 바르게 나타낸 문장은? ( )

| 보기 |

철호가 글짓기 대회에서 상을 받았다. 철호가 상을 받는 장면을 미희가 직접 보았고 미희가 그 소식을 다른 친구에게 전하는 상황

① 철호가 글짓기 대회에서 상을 탔데.
② 철호가 글짓기 대회에서 상을 탔대.
③ 철호가 글짓기 대회에서 상을 탄데.
④ 철호가 글짓기 대회에서 상을 탄대.
⑤ 철호가 글짓기 대회에서 상을 탄다고 해.

26

제주도 여행을 다녀와서 기행문을 쓰려고 할 때 글에 들어갈 내용으로 알맞지 않은 것은? ( )

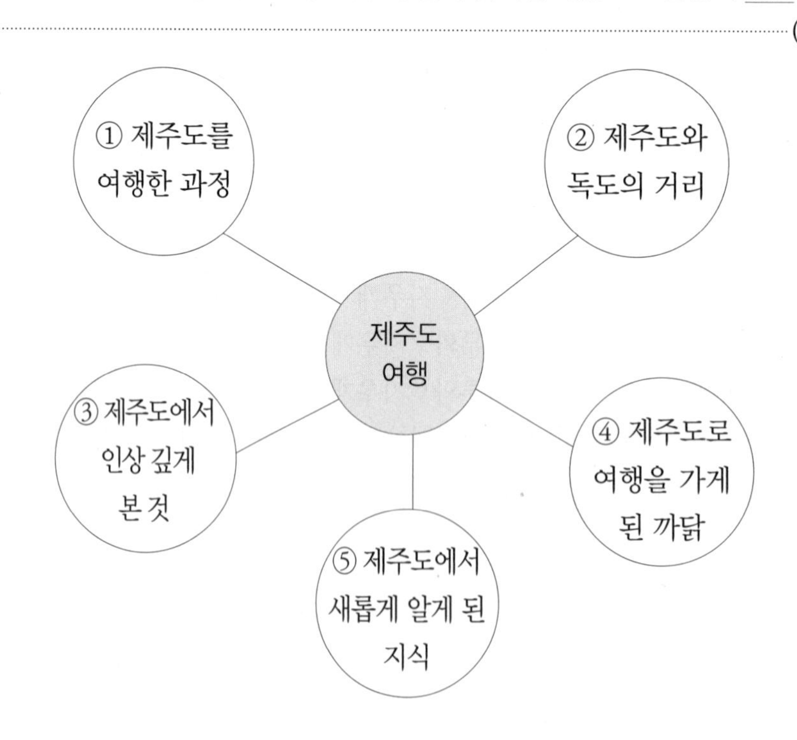

27 공기놀이에 대해 친구들에게 소개하는 글을 쓰려고 합니다. 다음 개요에 따라 | 보기 |의 문장을 바르게 정리한 것은? ( )

처음	• 공기놀이를 소개하는 까닭 • 공기놀이의 좋은 점
가운데	• 공기놀이를 하는 방법 • 공기놀이의 규칙 • 더 재미있게 놀이를 할 수 있는 방법
끝	• 나의 바람

| 보기 |

㉠ 각 단계별로 정해진 숫자만큼 공깃돌을 집어 던졌다가 되받습니다.
㉡ 좁은 실내에서도 공깃돌만 있으면 쉽게 놀이를 할 수 있어서 좋습니다.
㉢ 더 많은 친구들이 공기놀이를 배워서 함께 놀 수 있으면 좋겠습니다.
㉣ 공깃돌을 집어 올렸다가 다시 받을 때 공깃돌을 떨어뜨리면 상대에게 차례가 넘어갑니다.

①

처음	㉠
가운데	㉡, ㉣
끝	㉢

②

처음	㉡
가운데	㉠, ㉣
끝	㉢

③

처음	㉢
가운데	㉠, ㉣
끝	㉡

④

처음	㉠, ㉡
가운데	㉣
끝	㉢

⑤

처음	㉡
가운데	㉠, ㉢
끝	㉣

28 다음은 어떤 공익광고에 실려 있는 그림입니다. 광고의 의도를 가장 잘 드러내는 말은? ( )

출처: 한국방송광고진흥공사

① 말을 알아듣는 건 사람만이 아닙니다.
② 반려견과 반려묘, 또 하나의 가족입니다.
③ 목줄 풀린 반려견, 누군가에게는 맹수입니다.
④ '바둑이', 꼭 강아지 이름만 뜻하지는 않습니다.
⑤ 소중한 하나보다 평범한 둘이 더 가치 있습니다.

29 | 보기 |의 낱말에서 알 수 있는 '-질'의 뜻으로 알맞은 것은? ( )

| 보기 |

가위 + 질 → 가위질　　망치 + 질 → 망치질

괭이 + 질 → 괭이질　　바늘 + 질 → 바느질

① 그 도구를 가진 사람
② 그 도구를 만드는 사람
③ 그 도구를 사용하는 사람
④ 그 도구를 가지고 하는 일
⑤ 그 도구를 잘 사용하는 방법

30 다음 글 (가)와 (나)의 차이점에 대해 바르게 말한 것은? ( )

(가)

개나리가 피고
진달래도 피고

봄이 오나 보다

(나)

개나리는 노랗게 불을 켜고
진달래는 분홍빛으로
언덕을 물들이고

① (가)는 문장이 자연스럽지만 (나)는 문장이 자연스럽지 않다.
② (가)에 비해 (나)는 소리를 직접 듣는 것처럼 생생하게 느껴진다.
③ (가)는 맞춤법에 맞게 썼지만 (나)는 맞춤법에 맞지 않는 부분이 있다.
④ (가)에 비해 (나)는 장면을 직접 눈으로 보는 것처럼 생생하게 느껴진다.
⑤ (가)는 딱딱한 느낌이 들지만 (나)는 노래를 부르는 것처럼 자연스러운 느낌이 든다.

HME 국어 학력평가

실전 모의고사 3회

점수

01 다음 대화에서 ㉠~㉤이 가리키는 것에 대해 잘못 이해한 것은? ( )

할머니: ㉠너희는 몇 학년이니?
동수: ㉡우리는 3학년이고요, 이 형은 4학년이에요.
할머니: 그래? 어느 학교 다니니?
동수: 이 형과 ㉢저는 가람 초등학교에 다니고 ㉣얘네는 나람 초등학교 다녀요.
할머니: 학교가 다른데 친하게 지내는구나?
동수: 네, ㉤모두 다람 마을에 살거든요.

① ㉠은 모두 다람 마을에 산다.
② ㉡은 모두 나람 초등학교에 다닌다.
③ ㉢은 3학년이고 가람 초등학교에 다닌다.
④ ㉣은 모두 3학년이고 적어도 두 명 이상이다.
⑤ ㉤은 3학년과 4학년이 섞여 있고 다니는 학교가 다르다.

02 다음 만화 속 인물의 표정과 몸짓에 가장 어울리는 말은? ( )

① 그게 정말이야?
② 아야! 아프잖아!
③ 흥! 그게 왜 내 잘못이야?
④ 눈을 어디다 두고 다니니?
⑤ 괜찮아. 일부러 그런 게 아니잖아.

03 길에서 만난 할머니께서 시영아파트까지 가는 길을 물으셨습니다. 가장 바르게 안내한 것은? ( )

① 첫 번째 사거리에서 우회전하시고 두 번째 삼거리에서 좌회전하시면 사거리가 나와요. 바로 옆이 시영아파트예요.

② 경찰서를 지나 사거리가 나올 때까지 계속 가세요. 사거리에서 직진하시면 우체국이 나오는데 거기서 우회전 하시면 시영아파트예요.

③ 왼쪽으로 가시다가 사거리가 나오면 위로 올라가세요. 첫 번째 삼거리에서 오른쪽으로 올라가세요. 그리고 사거리가 나올 때 오셨던 길과 반대로 돌아가시면 시영 아파트예요.

④ 이 길로 경찰서를 지나면 사거리가 나와요. 사거리에서 오른쪽 방향으로 가시면 우체국이 나오는데 거기를 지나면 또 사거리가 보이실 거예요. 거기서 오른쪽 길로 가시면 시영아파트예요.

⑤ 이 길로 가서 사거리를 지나 계속 가시면 삼거리가 나올 거예요. 우체국에서 계속 가시다가 오른쪽 길로 가시면 다시 사거리가 나와요. 거기서 오른쪽 길로 조금만 가시면 시영아파트가 보여요.

04 다음 빈칸에 모두 들어갈 낱말로 알맞은 것은? ······ (　　　)

땀이 ☐.	새싹이 ☐.	구멍이 ☐.
기사가 신문에 ☐.	마을에 홍수가 ☐.	갑자기 생각이 ☐.

① 솟다
② 돋다
③ 나다
④ 흐르다
⑤ 떠오르다

05 다음 글에서 밑줄 그은 부분의 뜻을 가장 잘 나타낼 수 있는 낱말은? ······ (　　　)

이사 온지 얼마 안 되었어요. 이곳에 있는 사람들이나 건물, 길거리가 아직 <u>전에 본 적이 없어 익숙하지 않아요.</u>

① 어설퍼요
② 낯설어요
③ 낯익어요
④ 어수룩해요
⑤ 까마득해요

06 다음 십자말풀이에서 [ ] 칸에 들어갈 낱말로 알맞은 것은? ( )

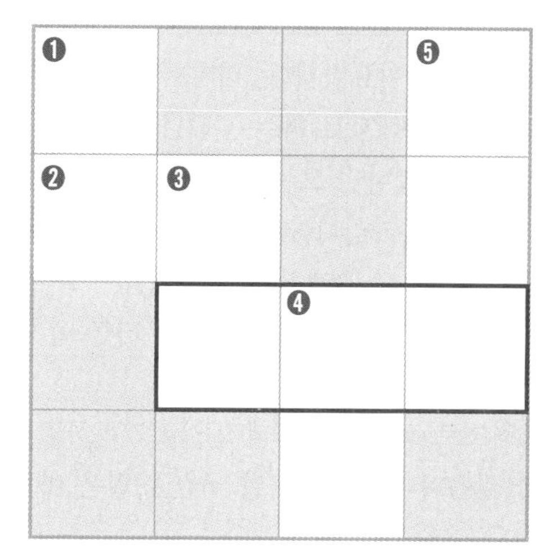

〈가로 열쇠〉	〈세로 열쇠〉
❷ 조상에게 음식을 바치고 정성을 나타내는 의식.	❶ 형과 아우를 아울러 이르는 말. ❸ 잘못을 인정하고 용서를 비는 것. ❹ 여름철에 즐겨 먹는 과일 중 하나. ❺ 초등학교에 입학하기 전 어린아이들이 다니는 교육 기관.

① 동물원 ② 과학실 ③ 도서관 ④ 대학원 ⑤ 과수원

07 다음 글에서 밑줄 그은 낱말의 뜻을 바르게 짐작한 것은? ( )

사람들은 복과 재물이 들어오기를 바라는 마음에서 길일을 택해 잔치, 이사, 결혼식과 같은 큰일을 치렀습니다. 길일은 새싹이 돋아나는 날과 같은 자연의 이치, 달이 차는 날과 같은 *천체의 변화, 홀수가 겹치는 날과 같은 숫자의 조합 등 여러 가지 기준과 방법으로 정해지곤 하였습니다.

*천체: 우주에 있는 모든 물체.

① 경치가 좋은 산이나 강
② 부자들이 많이 사는 마을
③ 햇빛이 잘 들어오는 집이나 건물
④ 운이 좋거나 복되다고 여겨지는 날
⑤ 자식들에게 복을 전해 준다고 믿는 땅의 모양

08 다음 글을 쓴 목적으로 알맞은 것은? ( )

벼농사를 지으려면 물이 필요합니다. 벼가 무럭무럭 자라려면 여름철에 많은 비가 내려야 하지요. 그래서 쌀을 주식으로 하는 우리나라에서는 물을 관리하는 것이 아주 중요한 일이었습니다. 언제 비가 얼마나 오는지 알 필요가 있었지요.

그래서 발명된 것이 측우기입니다. 측우기는 비의 양을 재는 기구라는 뜻입니다. 비가 내리면 원통형 모양의 측우기 안에 담긴 빗물의 높이를 재는 방식으로 강우량을 측정하였습니다. 조선 시대 때부터 나라 여러 곳에 측우기를 설치하고 비가 내릴 때마다 비의 양을 기록하여 농사에 이용하였지요.

측우기는 세계 최초로 강우량을 과학적으로 기록하고 이를 우리의 생활에 이용하였다는 점에서 의미가 깊습니다. '발명의 날' 5월 19일은 바로 이 측우기의 발명을 기념하기 위한 날이랍니다.

① 벼농사에 대해 알려 주기 위해
② 측우기에 대해 알려 주기 위해
③ 강우량에 대해 알려 주기 위해
④ 발명의 날에 대해 알려 주기 위해
⑤ 조선 시대에 대해 알려 주기 위해

09 다음 글의 [ ]에 들어갈 중심 문장으로 가장 알맞은 것은? ( )

[ ] 바다에서 잡는 물고기는 우리 식탁을 풍요롭게 합니다. 또 바닷물을 모아 햇볕에 증발시키면 소금을 만들 수 있습니다. 바다의 밀물과 썰물을 이용하여 전기를 얻을 수도 있습니다.

① 자연을 보호해야 합니다.
② 우리는 바다에서 많은 것을 얻습니다.
③ 우리는 바다에서 전기를 얻을 수 있습니다.
④ 우리나라는 삼면이 바다로 둘러싸여 있습니다.
⑤ 바다를 막아 육지로 만드는 일을 간척 사업이라고 합니다.

[10~11] 다음 글을 읽고 물음에 답하시오.

나리에게

나리야, 안녕? 나 민경이야.

나리야, 어제 네가 내 가방을 들어 주어서 고마웠어. 내가 팔을 다쳐서 가방을 어떻게 들까 걱정했는데 네가 와서 도와준다고 했을 때 정말 기뻤어. 그런데 어제는 고맙다는 말을 제대로 하지 못해서 이렇게 편지를 써.

지난 체육 시간에 너와 달리기 경주를 해서 내가 졌잖아. 달리기만큼은 자신 있었는데 내가 지니까 많이 속상했어. 그래서 그동안 너한테 말도 제대로 하지 않았어. 그런데 너는 오히려 나를 걱정해 주고 가방도 들어 주어서 미안했어.

나리야, 고마워! 너는 운동도 잘하고, 마음도 참 따뜻한 멋진 친구야. 앞으로도 친하게 지내자. 안녕.

20○○년 4월 13일

민경이가

10 나리와 민경이에게 있었던 일이 아닌 것은? ( )

① 체육 시간에 나리와 민경이는 달리기 경주를 했다.

② 민경이가 팔을 다쳤을 때 나리가 가방을 들어 주었다.

③ 민경이는 속상해서 나리에게 말도 제대로 하지 않았다.

④ 체육 시간에 달리기에서 이긴 민경이는 나리에게 미안해했다.

⑤ 자신의 가방을 들어 준 나리에게 민경이는 고맙다는 인사를 제대로 하지 못했다.

11 민경이가 이 편지를 통해 나리에게 전하고자 하는 마음으로 알맞은 것은? ( )

① 고맙고 속상한 마음

② 고맙고 미안한 마음

③ 고맙고 화가 난 마음

④ 서운하고 미안한 마음

⑤ 미안하고 안타까운 마음

[12~13] 다음 글을 읽고 물음에 답하시오.

입는 옷, 먹는 음식, 사는 집은 기후와 깊은 관련이 있습니다. 기후에 따라 생활 모습이 어떻게 다른지 알아봅시다.

기후에 따라 입는 옷이 다릅니다. 추운 겨울에는 몸의 열을 빼앗기지 않으려고 가죽옷이나 두꺼운 털옷을 입습니다. 그러나 무더운 여름에는 몸에서 생기는 열을 내보내려고 얇고 성긴 옷을 입습니다.

한복도 여름에는 몸에 잘 붙지 않도록 까슬까슬한 옷감으로 만들었습니다. 그리고 바람이 잘 통하도록 등나무로 만든 기구를 먼저 걸치고 저고리를 입기도 했습니다. 겨울에는 추위를 견딜 수 있도록 옷감 사이에 솜을 넣은 한복을 입었습니다. 차가운 공기가 스며들지 않도록 목둘레나 소매 끝을 좁게 만들기도 했습니다.

12 이 글을 읽고 알 수 있는 사실로 알맞지 않은 것은? ( )

① 기후에 따라 사람들이 사는 모습이 다르다.
② 가죽옷이나 두꺼운 털옷은 몸을 따뜻하게 한다.
③ 겨울에 입는 한복과 여름에 입는 한복은 다르다.
④ 겨울에는 목둘레나 소매 끝을 좁게 만든 옷을 입었다.
⑤ 까슬까슬한 옷감으로 만든 한복은 옷이 몸에 잘 붙게 한다.

13 이 글 뒤에 이어질 내용으로 가장 자연스러운 것은? ( )

① 여름철에는 비가 많이 온다는 내용
② 기후에 따라 먹는 음식이 다르다는 내용
③ 나라와 문화에 따라 입는 옷이 다르다는 내용
④ 한복에는 우리 조상의 멋이 담겨 있다는 내용
⑤ 우리나라의 사계절은 특징이 뚜렷하고 아름답다는 내용

14 다음 이야기에서 일어난 일에 대해 잘못 이해한 것은? ( )

서준이의 눈길이 엔트리봇의 손가락 끝을 따라 움직였다. 모니터로 눈을 돌린 서준이는 저도 모르게 입을 딱 벌리고 말았다.

"어, 엄마? 엄마! 진짜 우리 엄마?"

서준이의 엄마는 모니터 안에서 게임 캐릭터로 움직이고 있었다.

"어때? 맘에 들어?"

"이게, 이게 대체 어떻게 된 일이야!"

"내가 너희 엄마를 오브젝트로 만들어 게임 속으로 들여보냈어."

"오브젝트?"

"코딩 명령어로 움직일 수 있는 캐릭터나 사물이나 배경 같은 걸 오브젝트라고 해."

어처구니없어하는 서준이의 말에 엔트리봇은 빙글거리며 꼬박꼬박 대답을 해 주었다.

"그런데! 우리 엄마가 왜 게임 속에 있느냐고!"

"아까 네가 네 엄마, 게임 속에 넣고 싶다고 했잖아."

서준이는 기가 막혀 말이 안 나왔다. 자신의 뺨을 한 대 때려 보았다. 얼얼한 것으로 보아 이게 분명 꿈은 아닐 터였다.

"진짜, 우리 엄마는 아니지?"

"맞다니까?"

더 이상 티격태격할 것도 없이 ㉠서준이는 핸드폰을 꺼내어 엄마에게 전화를 걸었다.

"네 말 같은 거 안 믿어. 진짜 우리 엄마라면 전화를 받겠지."

세 번째 신호음이 울리기도 전이었다. 게임 속 엄마 캐릭터가 바지에서 뭔가를 꺼내 들었다. 작아서 보이지는 않아도 핸드폰이라는 것은 어렵잖게 짐작할 수 있었다. 순간 서준이의 심장이 요동치며 손에서 핸드폰이 떨어졌다.

"끼약!"

엄마가 다시 비명을 지르고는 달리기 시작했다. 게임 속 엄마의 뒤에 좀비가 쫓아오고 있었다!

「게임 속에 빠진 엄마를 구출하는 방법」 김학연

① 엄마가 게임 속 세계로 들어가 버렸다.
② 엄마를 게임 속에 넣은 것은 엔트리봇이다.
③ 게임 속에서 엄마는 좀비에게 쫓겨 소리를 질렀다.
④ 엄마가 게임 속에 들어가자 서준이는 재미있어했다.
⑤ 서준이는 엄마를 게임 속에 넣고 싶다고 말한 적이 있다.

[15~16] 다음 글을 읽고 물음에 답하시오.

날이 추워지면 감기에 걸리는 사람이 많아집니다. 몸을 따뜻하게 하고 푹 쉬면 금방 낫는 경우도 있지만, 감기 때문에 많이 아플 때에는 감기약을 먹어야 합니다. 어떻게 감기약을 먹어야 좋을까요?

먼저, 병원에서 의사와 충분하게 상담한 뒤 자신의 증세에 맞는 감기약을 처방받습니다. 어른들이 먹는 감기약이나 언제 샀는지 모르는 감기약을 먹으면 오히려 더 큰 병에 걸릴 수도 있습니다. 어린이들이 감기약을 먹을 때에는 꼭 의사의 지시에 따릅니다.

감기약은 끝까지 먹는 게 좋습니다. 감기약을 먹다가 몸이 나았다고 생각해 그만 먹으면 안 됩니다. 중간에 마음대로 감기약을 그만 먹으면 감기가 더 심해지거나 나중에 감기약을 먹어도 낫지 않을 수 있으므로, 의사가 처방한 날짜만큼 먹어야 합니다.

감기약을 먹을 때에는 물과 함께 먹어야 합니다. 우유나 녹차, 주스와 같은 다른 음료와 함께 먹어서는 안 됩니다. 또 물 이외에 밥이나 빵을 같이 먹어서도 안 됩니다.

감기약을 먹는 시간을 놓쳤다고 다음에 두 배로 먹어서도 안 됩니다. 두 배로 먹는다고 감기약 효과가 두 배가 되지는 않습니다. 오히려 몸에 부담만 될 뿐입니다. 감기약은 정해진 양만큼만 먹어야 합니다.

15 이 글의 주요 내용을 도표로 바르게 나타낸 것은? ······( )

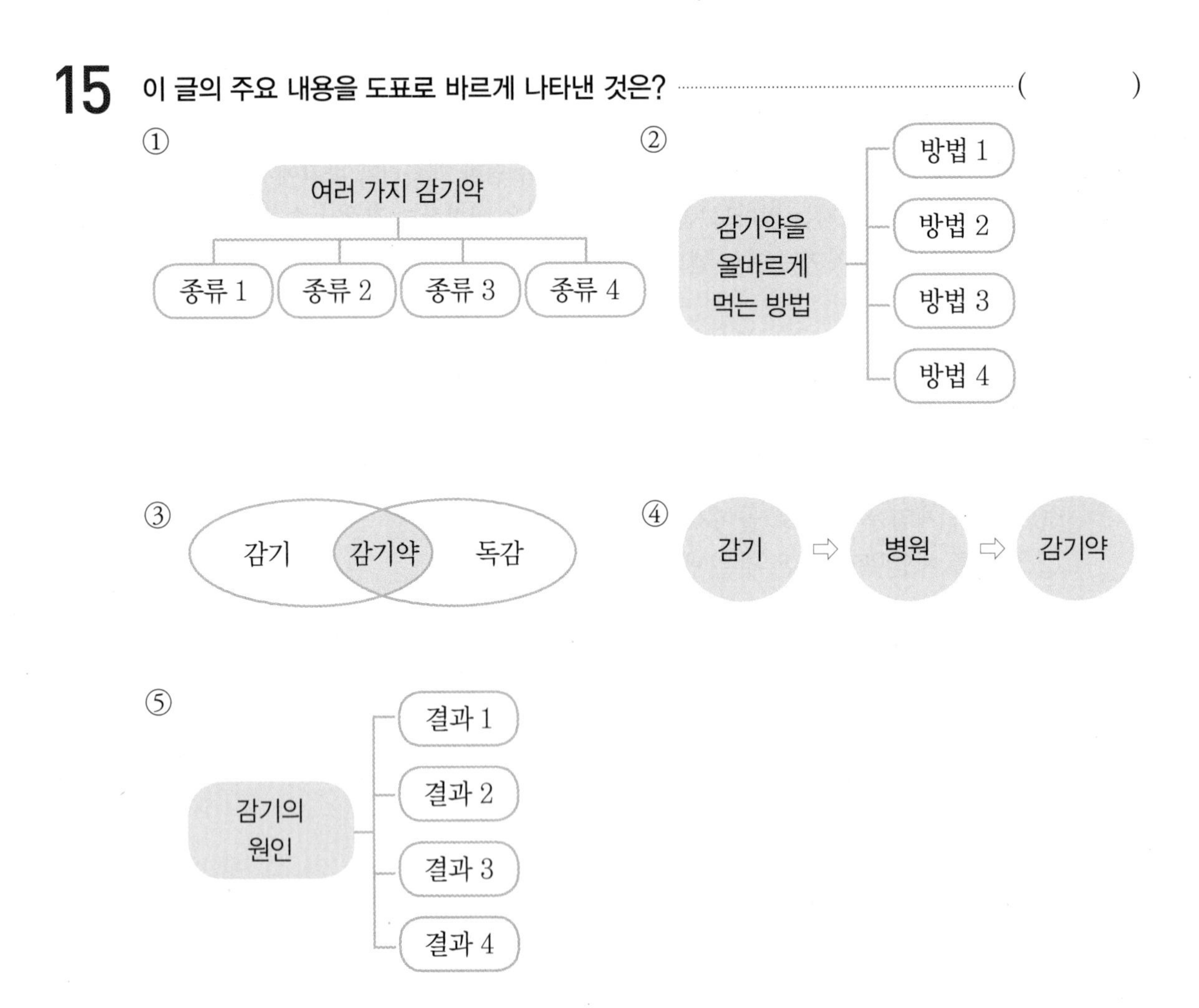

16 이 글을 읽고 친구들의 질문에 답변하였습니다. 질문에 대한 답변이 바르지 않은 것은? ( )

①	질문: 어른들이 먹는 감기약을 먹어도 될까?
	답변: 자신의 증세에 맞는 감기약을 먹어야 해. 잘 모르는 약을 먹으면 큰일 날 수도 있어.

②	질문: 감기약을 먹다가 도중에 몸이 나으면 그만 먹어도 될까?
	답변: 중간에 마음대로 감기약을 그만 먹으면 감기가 더 심해지거나 나중에 감기약을 먹어도 낫지 않을 수 있어. 의사가 처방한 날짜만큼 먹어야 해.

③	질문: 감기약을 우유와 먹어도 될까?
	답변: 감기약은 반드시 물과 함께 먹어야 해. 녹차나 주스와 같은 다른 음료와 먹는 것도 안 돼.

④	질문: 감기약을 두 배로 먹으면 감기가 더 빨리 낫지 않을까?
	답변: 감기약은 정해진 만큼만 먹어야 해. 두 배로 먹는다고 효과가 두 배가 되지는 않아. 오히려 몸에 부담만 된대.

⑤	질문: 예전에 처방받은 감기약이 남은 게 있는데, 내가 감기에 걸렸다면 다시 먹어도 되지 않을까?
	답변: 예전에 의사와 충분하게 상담한 뒤 처방받은 약이라면 괜찮아. 어린이들이 감기약을 먹을 때에는 꼭 의사의 지시에 따라야 해.

17 다음 글을 읽고 남자와 여자의 성장 그래프를 바르게 나타낸 것은? ……………………( )

> 사람은 태어나서 청소년기까지는 아주 빠르게 성장합니다. 특히 여자는 만 11~12세, 남자는 만 13~14세 때 1년에 키가 8~10센티미터나 자랄 정도로 빠르게 성장합니다. 그러나 이 시기가 지나면 성장 속도가 줄어듭니다. 남자는 이후로 조금씩 자라서 평균 20세에, 여자는 평균 17세쯤에 자신의 성인 키에 도달한다고 합니다. 물론 20세가 넘어도 꾸준히 크는 사람이 있지만 매우 드뭅니다.

①
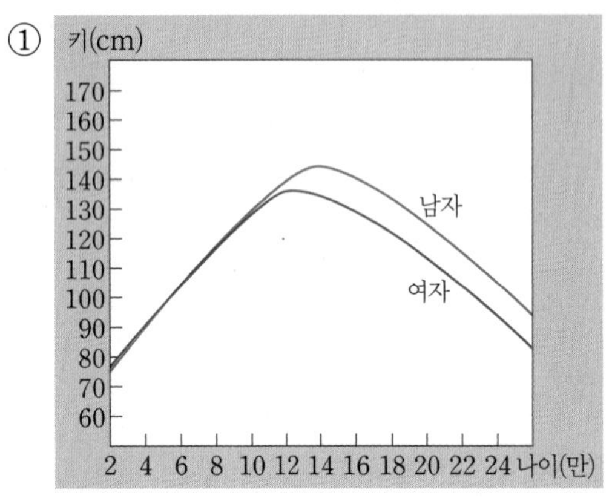

②
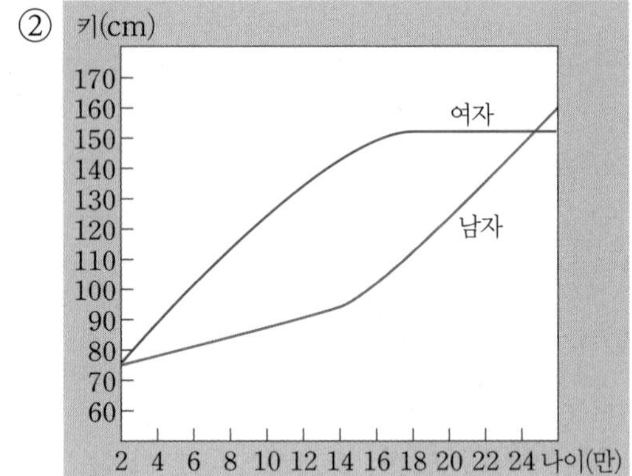

③
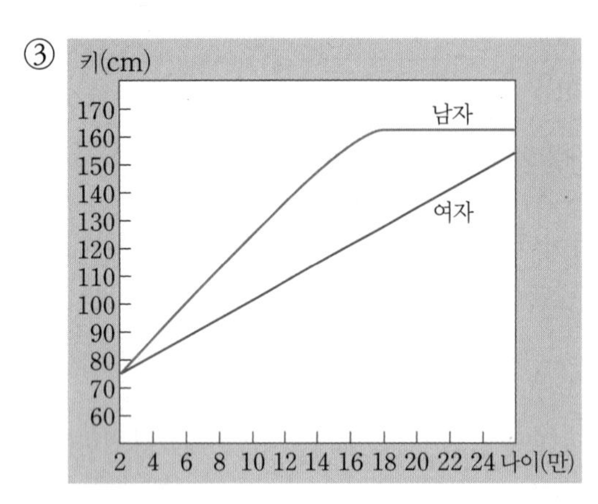

④
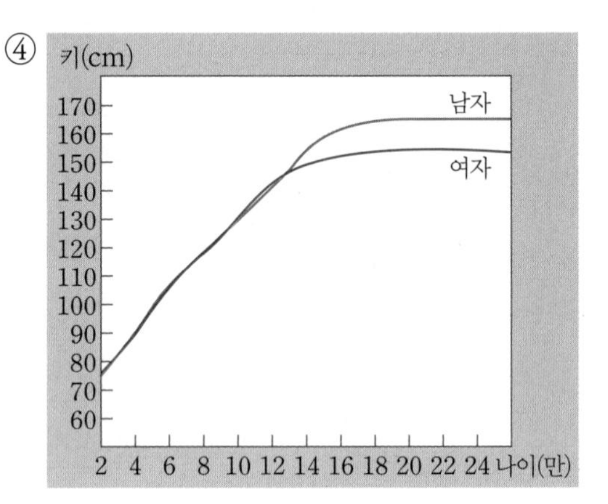

⑤
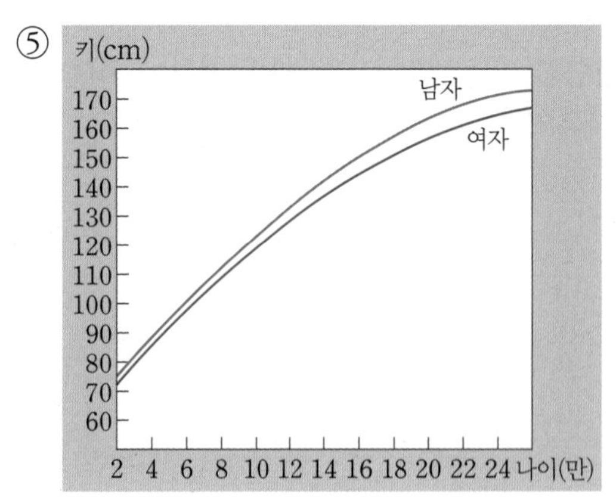

[18~19] 다음 시를 읽고 물음에 답하시오.

강아지풀

강현호

풀숲에서
귀여운 강아지를 만났다.

솜털같이 복슬복슬한
꼬리를 살랑살랑

요요요
요요요요
정답게 부르면

우리 집까지
따라올 것 같아
자꾸만 숲길을 뒤돌아보았다.

18 이 시에서 빗대어 표현한 두 대상을 바르게 짝지은 것은? ( )

① 풀숲 – 우리 집
② 우리 집 – 강아지
③ 강아지 – 강아지풀
④ 강아지풀 – 살랑살랑
⑤ 살랑살랑 – 복슬복슬

19 이 시에서 빗대어 표현한 두 대상의 비슷한 점을 바르게 나타낸 것은? ( )

① 풀 냄새가 나고 귀엽다.
② 식물이고 저절로 자란다.
③ 복슬복슬하고 살랑거린다.
④ 집에서 키우고 '나'를 잘 따른다.
⑤ 솜털같이 하얗고 바람이 불면 살랑거린다.

[20~22] 다음 글을 읽고 물음에 답하시오.

(가)

자신의 능력이 뛰어나다고 해서 자신보다 못한 사람을 업신여기거나 깔보면 안 된다. 토끼가 그랬다. 깡충깡충 뛰어가는 토끼는 엉금엉금 기어가는 거북이 한심하게 보였나 보다. 토끼가 얼마나 거북을 비웃었으면 자존심 상한 거북이 경주를 다 하자고 했을까?

결국 토끼는 졌다. 토끼가 진 것은 능력 때문이 아니라 자만심 때문이다. 엉금엉금 기어가는 거북이 절대 자신을 이길 리가 없다고 낮잠을 자 버렸기 때문이다. 거북은 경주를 포기하지 않았다. 그리고 결국 이겼다. [㉠]

(나)

토끼와 거북 이야기 알지? 토끼와 거북이 경주를 했는데 토끼가 여유롭게 잠을 자다가 거북이가 경주에서 이겼다는 이야기 말이야. 그래서 어른들은 토끼처럼 자만하면 안 되고, 능력이 부족하다 하더라도 열심히 노력하면 거북이처럼 이길 수 있다는 말씀을 하시지. 그런데 말이야, 잘 생각해 보면 거북이에게도 탐탁지 않은 면이 있어.

도대체 거북이는 무슨 생각으로 토끼와 경주를 하자고 했을까? 나는 거북이가 무슨 비장의 무기라도 있는 줄 알았어. 바퀴 달린 신발이라든지, 로켓처럼 날 수 있는 날개라든지……. 그런데 뭐야, 거북이는 그냥 엉금엉금 기어갈 뿐이었어. 토끼가 낮잠을 자고 있었기에 망정이지 거북이는 아무런 준비도 없이 토끼와 내기를 한 거야. 도대체 무슨 생각이지? 엉금엉금 기어가서 깡충깡충 뛰어가는 토끼를 따라잡을 수 있다고 생각한 거야? 난 이렇게 생각 없이 내기를 한 거북이를 절대 편들어 주지 못할 것 같아.

(다)

토끼와 거북은 같은 코스를 달렸습니다. 그러니 거북은 경주 도중에 자고 있는 토끼를 보았을 것입니다. 왜 거북은 자고 있는 토끼를 깨우지 않았을까요? 처음부터 공평한 경기는 아니었지만 그래도 자고 있는 상대편을 모른 척하고 지나친 것은 바람직한 자세는 아닌 것 같습니다. 상대가 자고 있기 때문에 그대로 결승선을 통과만 하면 이기게 되는 뻔한 결과를 저는 칭찬하고 싶지 않습니다. 경기에서 지더라도 정정당당한 승부를 하였다면 저는 거북에게 졌어도 최선을 다했다고 칭찬했을지도 모르겠습니다.

20 글의 내용으로 보아 ㈎의 [㉠]에 들어갈 말로 가장 어울리는 것은? ( )

① 용기 있는 자가 승리하는 법이다.
② 적을 알고 나를 알아야 이길 수 있다.
③ 자만심은 노력과 끈기 앞에서 질 수밖에 없다.
④ 분수에 넘치는 욕심은 스스로를 망가뜨리기 마련이다.
⑤ 지렁이도 밟으면 꿈틀한다는 말은 동화에나 나오는 말이다.

21 ㈎~㈐의 글쓴이가 가진 생각에 대해 잘못 이해한 것은? ( )

① ㈎의 글쓴이는 토끼가 자만심 때문에 경주에서 졌다고 생각한다.
② ㈏의 글쓴이는 토끼와 경주를 한 거북이가 어리석다고 생각한다.
③ ㈐의 글쓴이는 경주에서 지더라도 거북이가 토끼를 깨워야 했다고 생각한다.
④ ㈎의 글쓴이는 포기하지 않고 노력하는 자세를 본받아야 한다고 생각한다.
⑤ ㈏의 글쓴이는 일이 일어난 과정은 어쨌든 결과만 좋으면 잘한 일이라고 생각한다.

22 다음 표어 중 글 ㈐의 글쓴이가 가진 생각을 가장 잘 드러내는 것은? ( )

① 재물보다 마음의 평화를!
② 먼 사촌보다 가까운 이웃을!
③ 크고 높은 나무보다 작은 숲을!
④ 옳지 않은 1등보다 떳떳한 꼴찌를!
⑤ 한 사람의 열 걸음보다 모두의 한 걸음을!

23 다음 글에서 중심 내용에 어울리지 않아 삭제하는 것이 좋은 문장은? ( )

내가 좋아하는 음식

㉠내가 좋아하는 음식은 떡볶이입니다. ㉡떡볶이는 긴 가래떡을 먹기 좋게 썰어 여러 가지 야채와 함께 고추장으로 졸인 음식입니다. ㉢가래떡은 그냥 먹어도 맛있습니다. ㉣간식으로 즐겨 먹는 떡볶이는 고추장 양념 대신 간장 양념으로 만들기도 합니다. ㉤간장 양념을 한 떡볶이는 맵지 않아서 어린아이도 잘 먹습니다.

① ㉠ ② ㉡ ③ ㉢ ④ ㉣ ⑤ ㉤

24 다음은 공룡이 멸종한 까닭에 대해 설명하는 글입니다. [㉠]과 [㉡]에 들어갈 내용이 알맞게 짝지어진 것은? ( )

[㉠] 공룡이 멸종했다는 이야기가 있다. 우주에는 셀 수 없이 많은 운석이 떠돌고 있는데 이들 중 지름 10킬로미터 정도만 되는 운석이 지구에 떨어지더라도 지구에는 대 재앙이 닥친다. 운석이 지구에 부딪치는 순간 엄청난 폭발이 일어나고 불길이 치솟는데 이들보다 더 큰 문제는 충돌 때 일어난 대량의 먼지가 온 지구를 덮을 수 있다는 점이다. 지구를 덮은 먼지 층은 햇빛을 수년간 막고 지상의 온도는 떨어지며 [㉡]. 곧 초식 공룡이 멸종하게 되고, 점차 초식 공룡을 먹이로 하는 육식 공룡도 사라지게 되었다는 이야기다.

	㉠	㉡
①	지구에 운석이 떨어져	지구의 산소가 사라지게 된다.
②	우주에 폭발이 일어나서	지구는 빙하기에 접어든다.
③	운석이 지구에 충돌하여	지구의 화산도 폭발하게 된다.
④	운석이 지구에 충돌하여	식물은 자랄 수 없게 된다.
⑤	혜성과 운석이 충돌하여	남극과 북극의 얼음이 녹게 된다.

25 다음은 '숲이 우리에게 주는 도움'이라는 제목으로 글을 쓰기 위해 떠올린 내용입니다. 빈칸에 들어갈 내용으로 가장 알맞은 것은? ( )

처음	• 무분별한 개발로 숲이 사라지고 있다. • 숲이 우리에게 어떤 도움을 주는지 알아보자.
가운데	• 숲은 산소를 공급하고 공기를 맑게 해 준다. • [ ] • 숲은 물을 저장하고 홍수를 막아 주는 기능을 한다. • 숲에서 버섯, 약초와 같은 여러 가지 산림 자원을 얻을 수 있다.
끝	• 내가 심는 한 그루의 나무가 숲을 만드는 첫걸음이 될 수 있다. • 숲을 아끼고 지키기 위해 노력하자.

① 식목일은 나무를 심는 날이다.
② 댐을 건설하면 홍수 피해를 줄일 수 있다.
③ 숲은 사람의 몸과 마음을 건강하게 해 준다.
④ 우리나라의 숲은 사계절에 따라 다른 모습을 보인다.
⑤ 일회용 나무젓가락 사용을 줄이면 숲을 보호할 수 있다.

26 다음 | 보기 |와 같은 방법으로 묶을 수 있는 낱말끼리 짝지어진 것은? ( )

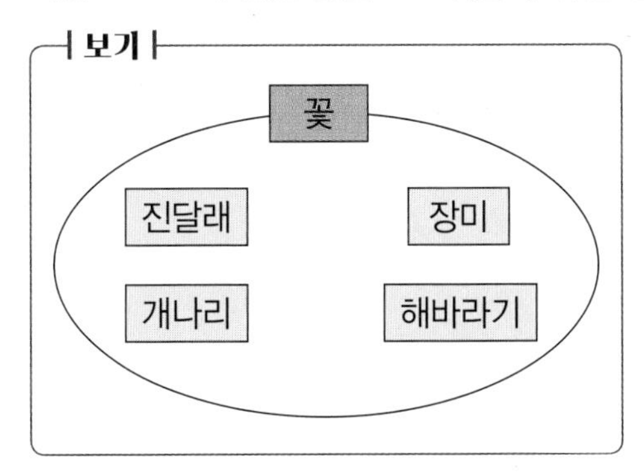

① 봄, 계절, 여름, 가을, 겨울
② 구름, 바다, 산, 하늘, 나무
③ 남자, 여자, 노인, 아이, 학교
④ 빨강, 노랑, 파랑, 검정, 주황, 그림
⑤ 산울림, 메아리, 추석, 한가위, 명절

27 다음 글의 ㉠~㉤ 중 | 보기 |와 같은 방법으로 높임을 표현한 경우를 모두 고른 것은? ( )

| 보기 |

모르는 것이 있으면 선생님께 물어봅니다.
→ 모르는 것이 있으면 선생님께 여쭈어봅니다

공부는 안 하고 하루 종일 게임만 한다고 ㉠아버지께 꾸중을 들었다. 나와 동생을 ㉡혼내신 아버지는 기분이 좋지 않으신 듯 하루 종일 아무 ㉢말씀이 없으셨다. 동생과 나는 아버지께 편지를 쓰기로 했다. 앞으로는 게임도 적당히 하고 열심히 책도 읽겠다고 썼다. 저녁을 먹고 나서 아버지께 편지를 ㉣드리자 아버지는 방긋 ㉤웃으셨다. 우리 머리를 쓰다듬으며 글 솜씨가 많이 늘었다고 칭찬도 해 주셨다.

① ㉠, ㉢
② ㉡, ㉢
③ ㉢, ㉣
④ ㉡, ㉤
⑤ ㉢, ㉣, ㉤

28 다음 밑줄 그은 낱말 중 사물의 모양이나 상태를 나타내는 낱말을 모두 골라 국어사전에 실리는 순서대로 알맞게 나열한 것은? ( )

- 공이 데굴데굴 ㉠구른다.
- 얼음이 든 컵이 ㉡차갑다.
- 사냥꾼이 화살을 ㉢쏘았다.
- 이 문제는 풀기가 ㉣어렵다.
- 나는 형보다 키가 더 ㉤크다.

① ㉠ → ㉢
② ㉠ → ㉢ → ㉤
③ ㉡ → ㉤
④ ㉡ → ㉣ → ㉤
⑤ ㉣ → ㉡ → ㉤

29 다음 중 맞춤법에 맞지 않는 낱말이 있는 문장은? ( )

① 놀이터에서 놀다가 넘어져서 무릎을 다쳤다.
② 내 짝궁은 우리 집에서 가까운 곳에 살아요.
③ 굴에서 나온 토끼 눈에 눈곱이 끼었습니다.
④ 비가 오니 우리 조금만 있다가 집에 가기로 해요.
⑤ 우리 민족은 식사를 할 때 숟가락과 젓가락을 함께 사용한다.

30 다음 글에서 짐작할 수 있는 내용으로 알맞지 않은 것은? ( )

초등학교 4학년 때, 도시에서 전학을 온 친구의 집은 학교와 멀었다.
그때는 버스도 많지 않았고, 자가용은 더 없었고, 대개 웬만한 거리는 걸어서 오고 가던 그런 때였으니까, 그 친구도 한 시간 넘게 걸어서 학교에 왔다. 그리고 한 시간이 넘게 걸어서 집으로 돌아갔다.
그 친구는 남자애인데도 얼굴이 하얬다. 키는 나보다 작았지만 작고 곱상한 얼굴과는 달리 목소리가 걸걸했다. 도시에서 웅변 학원을 다녀서 그렇다고 했다.
음악 시간에, 선생님은 전학생을 앞으로 불러 노래를 시켰다.
그 친구는 조금 망설이더니 '아리랑'을 부르겠다고 했다. 도시에서 온 아이가 어떤 가수의 노래를 부를까 생각하고 있던 반 아이들은 키득거렸다.
그 친구의 입에서, 아리랑은 아주 느릿느릿하게 흘러나왔다. 낮고 굵은 목소리에 분명한 발음으로 노랫말이 교실 안에 퍼졌다. 손가락 하나로 건반을 두드려 멜로디만 연주하듯, 그 친구의 아리랑은 또렷하고 깊은 울림이 있었다.
노래가 끝난 뒤 자리로 돌아오는 그 친구의 얼굴은 귀부터 목 아래까지 온통 빨갰다.

① 그때는 교통이 오늘날처럼 발달하지 않은 것 같다.
② 전학 온 친구는 도시에서 공부를 잘하는 아이였던 것 같다.
③ 글쓴이는 전학 온 친구가 아리랑을 꽤 잘 부른다고 생각했던 것 같다.
④ 전학 온 친구는 아리랑을 부르고 돌아올 때 무척 부끄러웠던 것 같다.
⑤ 글쓴이 주변의 남자아이들은 대부분 얼굴이 까무스름했던 것 같다.

실전 모의고사 4회

점수

01

다음 아버지와 아들의 대화에서 ㉠~㉤이 가리키는 장소에 대해 잘못 이해한 것은? ( )

아버지: ㉠여기에서 잠깐 쉬었다가 ㉡저기에 가서 점심을 먹자.
아들: ㉢거기는 음식이 맛이 없어요. ㉣다른 데로 가요.
아버지: 그래? 그럼 ㉤저기를 갈까?

① ㉠은 아버지와 아들이 함께 있는 곳이다.
② ㉡은 ㉠에서 떨어진 곳에 있다.
③ ㉡과 ㉢은 같은 곳이다.
④ ㉣은 ㉠과 ㉡이 아닌 곳이다.
⑤ ㉡과 ㉤은 같은 곳이다.

02

다음 대화에서 ㉠과 같은 행동의 의미를 바르게 이해한 것은? ( )

어머니: 할머니 안방에 계시니?
딸: 아니요, 조금 전에 나가셨어요.
어머니: 어디 간다고 말씀하셨어?
딸: 옆집에 가신다고 하셨어요.
어머니: 거기는 왜 가셨다니?
딸: ㉠(어깨를 들썩이며 두 손바닥을 들어 보인다.)

① 할머니께서 금방 돌아오신다.
② 할머니께서 손을 씻으라고 말씀하셨다.
③ 할머니께서 친구 분을 만나러 나가셨다.
④ 할머니께서 옆집에 가신다고 말씀하셨다.
⑤ 할머니께서 옆집에 가신 이유를 알 수가 없다.

03 다음 대화에서 ㉠과 ㉡에 어울리는 영희의 표정이나 몸짓, 목소리를 바르게 짝지은 것은? ( )

영희: 선희야 생일 축하해!
선희: 고마워 영희야.
영희: ㉠그런데 오늘에서야 네 생일이란 걸 알아서 미처 선물을 준비하지 못했어.
선희: 괜찮아. 축하해 줘서 고마워. 우리, 학교 끝나고 떡볶이 먹고 가자. 생일이라고 어머니께서 용돈 주셨어.
영희: ㉡좋아! 네가 최고야!

	㉠	㉡
①	밝은 목소리로 배를 쓰다듬으며	고개를 갸우뚱거리며 작은 목소리로
②	밝은 목소리로 엄지손가락을 들어 보이며	작은 목소리로 뒷머리를 긁으며
③	작은 목소리로 뒷머리를 긁으며	밝은 목소리로 엄지손가락을 들어 보이며
④	밝은 목소리로 미소를 지으며	어깨를 움츠리며 어둡고 작은 목소리로
⑤	팔짱을 끼고 밝고 당당한 목소리로	밝은 목소리로 엄지손가락을 들어 보이며

04 다음 중 밑줄 그은 낱말의 쓰임이 적절하지 않은 것은? ( )

① 매운 고추 냄새에 재채기가 났다.
② 찌개가 몹시 매워 먹을 수가 없었다.
③ 불을 피우자 매운 연기에 눈물이 났다.
④ 아직 겨울이 되기 전인데도 제법 바람이 매웠다.
⑤ 풀어진 운동화 끈을 매우려고 잠시 걸음을 멈췄다.

05 다음 문장에서 밑줄 그은 부분의 뜻을 가장 잘 나타낼 수 있는 낱말은? ··························( )

> 호랑이는 성질이 보드랍지 못하고 매우 까다로운 성격이어서 작은 일에도 버럭 화를 내기 일쑤였습니다.

① 온순한
② 소심한
③ 깔끔한
④ 우유부단한
⑤ 까슬까슬한

06 다음 글의 ㉠ 에 들어갈 중심 문장으로 가장 알맞은 것은? ··························( )

> ㉠ 설날에는 연날리기나 제기차기를 합니다. 윷놀이를 하며 한 해 농사를 점치기도 합니다. 정월 대보름에는 쥐불놀이를 합니다. 마을 사람끼리 편을 갈라 줄다리기를 하는 곳도 있습니다. 단오에는 씨름을 합니다. 씨름 대회에서 우승을 한 장사에게는 소 한 마리가 상품으로 주어지기도 했습니다.

① 추석에는 강강술래를 합니다.
② 우리나라에는 명절마다 하는 놀이가 있습니다.
③ 옛날에 어린이들은 여러 가지 놀이를 하였습니다.
④ 우리나라의 전통 음식에는 여러 가지가 있습니다.
⑤ 우리나라의 명절에는 여러 친척이 함께 모여 차례를 지냅니다.

[07~08] 다음 글을 읽고 물음에 답하시오.

> 자전거와 오토바이는 비슷하게 생겼습니다. 운전자가 손으로 잡는 핸들이 있고, 두 바퀴를 이용해서 달립니다. 운전자가 안장에 앉아 균형을 잡으며 달린다는 점도 비슷합니다. 자동차와 달리 비교적 ㉠좁은 길도 문제없이 달릴 수 있습니다.
> ㉡다른 점도 있습니다. 가장 큰 차이점은 자전거는 사람이 페달을 굴리는 힘으로 움직이지만 오토바이는 엔진의 힘을 이용하여 움직인다는 점입니다. 그래서 달리는 속도도 오토바이가 자전거보다 훨씬 ㉢빠릅니다. 자전거는 운동을 하거나 가볍게 여행을 할 때 주로 쓰이지만 오토바이는 자동차와 같이 먼 거리를 이동하는 교통수단으로 쓰입니다.

07 이 글의 내용을 개요표로 나타낸 것 중 가장 알맞은 것은? ( )

①
자전거 — 오토바이 / 오토바이 / 오토바이

②
자전거 ➡ 오토바이

③
오토바이 — 자전거 / 자전거 / 자전거

④
자전거 / 오토바이

⑤
탈것 — 오토바이 / 자전거 / 기차 / 비행기

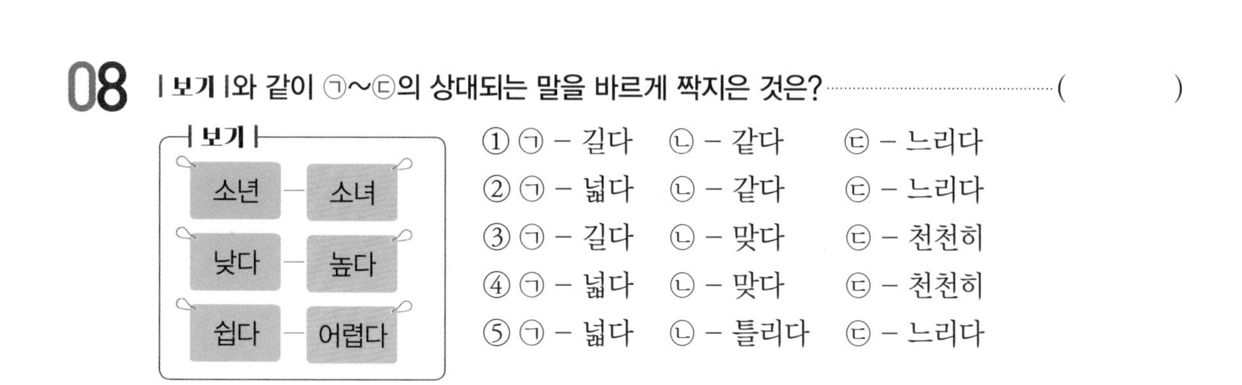

08 | 보기 |와 같이 ㉠~㉢의 상대되는 말을 바르게 짝지은 것은? ( )

| 보기 |

소년 — 소녀
낮다 — 높다
쉽다 — 어렵다

① ㉠ - 길다 ㉡ - 같다 ㉢ - 느리다
② ㉠ - 넓다 ㉡ - 같다 ㉢ - 느리다
③ ㉠ - 길다 ㉡ - 맞다 ㉢ - 천천히
④ ㉠ - 넓다 ㉡ - 맞다 ㉢ - 천천히
⑤ ㉠ - 넓다 ㉡ - 틀리다 ㉢ - 느리다

[09~10] 다음 글을 읽고 물음에 답하시오.

우리 몸의 부분을 가리키는 여러 가지 말들이 있습니다. 그중에는 우리가 자주 쓰지만 잘못 알고 있는 말도 많습니다. 팔꿈치는 어디를 가리키는 말일까요? 팔을 구부렸을 때 구부러지는 관절의 바깥쪽을 팔꿈치라고 합니다. 이 팔꿈치를 기준으로 팔의 윗부분은 위팔이라고 하고, 아랫부분은 아래팔이라고 합니다. 흔히 발의 뒷부분을 가리키는 '발뒤꿈치'를 생각해서 팔꿈치를 '팔뒤꿈치'로 쓰는 경우가 있는데, 이는 잘못된 말이에요. '팔꿈치'가 맞는 말이랍니다.

그렇다면 팔꿈치의 안쪽 부분은 무엇이라고 할까요? 아래팔과 위팔을 이어 주는 뼈마디의 안쪽 부분을 '팔오금', 혹은 '오금'이라고 합니다. 위팔의 윗부분은 우리 몸의 어깨와 맞닿아 있고, 아랫부분은 팔오금을 거쳐 아래팔로 이어집니다. 그리고 아래팔은 손과 맞닿아 있지요.

'손목'과 '팔목'은 어디일까요? 손목은 손과 팔이 잇닿은 부분이에요. 그리고 팔목은 팔과 손이 잇닿은 팔의 끝부분이에요. 즉 같은 부분을 뜻하는 말이에요. 손목이든 팔목이든 한번 잡아 보세요. 나도 모르게 같은 곳을 잡고 있지요?

09 우리 몸과 관련된 말을 잘못 이해한 것은? ( )

① '팔뒤꿈치'는 잘못 쓰는 말이다.
② 팔은 '아래팔'과 '위팔'로 나누어진다.
③ '팔꿈치'의 안쪽 부분은 '팔오금'이라고 한다.
④ '팔목'은 어깨와 팔이 잇닿은 부분을 가리킨다.
⑤ 팔을 구부렸을 때 구부러지는 관절의 바깥 부분은 '팔꿈치'이다.

10 다음 그림의 ㉠~㉢을 가리키는 말이 바르게 짝 지어진 것은? ( )

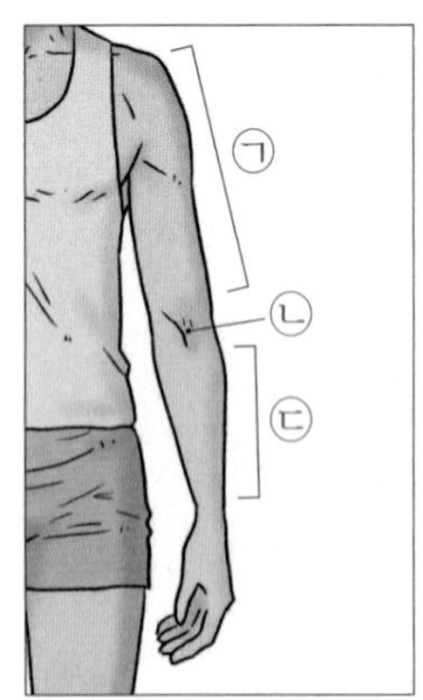

① ㉠ – 어깨 ㉡ – 오금 ㉢ – 손목
② ㉠ – 위팔 ㉡ – 오금 ㉢ – 팔목
③ ㉠ – 어깨 ㉡ – 오금 ㉢ – 팔목
④ ㉠ – 위팔 ㉡ – 팔꿈치 ㉢ – 아래팔
⑤ ㉠ – 위팔 ㉡ – 팔오금 ㉢ – 아래팔

11 다음 글에서 민재 형이 호준이에게 전하고자 하는 마음으로 알맞지 않은 것은? ……… (   )

호준아, 나 민재 형이야.

한 달 동안이나 저녁마다 줄넘기 연습을 열심히 하는 너를 보면서 네가 기특하고 대견하다고 생각했어. 그런데 어제 있었던 줄넘기 대회에서 상을 받지 못했다는 소식을 들었어. 많이 속상했지? 그래도 포기하지 않고 꾸준히 연습하면 다음에는 더 좋은 결과가 있을 거야.

① 응원하는 마음
② 위로하는 마음
③ 격려하는 마음
④ 미안해하는 마음
⑤ 대견해하는 마음

12 다음 글을 통해 알 수 있는 글쓴이의 생각으로 가장 알맞은 것은? (   )

매일 먹는 밥 한 그릇에는 농부의 땀방울이 담겨 있다. 편하게 앉아 쉴 수 있는 의자에는 목수의 고단함이 담겨 있다. 계절마다 갈아입는 옷 한 벌에는 재봉사의 땀방울이, 시원한 바람을 만들어 내는 선풍기에는 그것을 조립한 노동자의 수고가 담겨 있다. 편리한 생활은 종종 우리가 고마워해야 할 모든 사람들을 잊게 만든다. 내가 쓰는 물건, 내가 먹는 음식, 내가 생활하는 집 등 어느 하나도 나 아닌 다른 사람들의 손을 거치지 않은 것이 없다. 돈으로 그 가치를 모두 샀다고 해서 내가 편리하게 생활할 수 있게 도와준 그 많은 사람들의 땀방울을 느끼지 못하는 것은 미안한 일이다.

① 직업에는 귀하고 천한 것, 높고 낮은 것이 없다.
② 재산이 많은 사람보다 지식을 많이 가진 사람이 성공한다.
③ 다른 사람의 눈보다 자기 자신의 목소리에 귀를 기울여야 한다.
④ 나를 둘러싼 많은 이들의 수고와 정성에 감사한 마음을 가져야 한다.
⑤ 닿을 수 없는 미래를 욕심 내지 말고 현재 내가 가진 것에 만족하고 살자.

[13~15] 다음 글을 읽고 물음에 답하시오.

첫째, 선생님께서 계시지 않을 때에는 과학 실험을 하지 않습니다. 과학실에는 조심히 다루어야 할 실험 기구와 위험한 화학 약품이 많습니다. 선생님 말씀에 따라 실험 기구나 화학 약품을 다루어야 사고가 나는 것을 예방할 수 있습니다. 그러므로 선생님께서 계시지 않을 때에는 과학 실험을 해서는 안 됩니다.

둘째, 과학실에서 절대 장난을 치면 안 됩니다. 과학실에는 깨지기 쉽거나 위험한 실험 기구가 많습니다. 장난을 치다가 유리로 만든 실험 기구가 깨지면 날카로운 유리 조각이 생겨 이 유리 조각에 사람이 다칠 수 있습니다. 또 장난을 치다가 알코올램프가 바닥에 떨어지면 과학실에 화재가 발생할 수도 있습니다. 그러므로 과학실에서는 장난을 치지 말고 진지한 자세로 실험을 해야 합니다.

셋째, [㉠]

13 글의 내용으로 보아 이 글의 제목으로 알맞은 것은? ( )

① 훌륭한 과학자가 되려면
② 학교에서 지켜야 할 예절
③ 안전하게 과학 실험을 하려면
④ 과학이 우리 생활에 주는 도움
⑤ 과학실에서 할 수 있는 여러 가지 실험

14 글의 중심 내용으로 보아 다음 중 [㉠]에 들어갈 문장으로 가장 알맞은 것은? ( )

① 복도에서는 뛰지 말고 걸어야 합니다.
② 친구들끼리 장난을 치다가 다툴 수도 있습니다.
③ 음악실에서는 떠들지 말고 조용히 해야 합니다.
④ 과학실에서는 뜻하지 않은 사고가 일어날 수 있습니다.
⑤ 과학실의 약품을 함부로 만지거나 냄새를 맡아서는 안 됩니다.

15 이 글과 관련한 다음 주장에 대한 근거로 가장 적절한 것은? ( )

넷째, 실험할 때 책상에 바짝 다가가지 않습니다.

① 의자에 바른 자세로 앉아 실험해야 합니다.
② 책상에 바짝 다가가 실험을 하면 허리 건강에 좋지 않기 때문입니다.
③ 실험을 할 때 책상에 바짝 다가가면 선생님께 주의를 듣기 때문입니다.
④ 실험할 때 책상에 바짝 다가가면 실험을 자세히 관찰하기 어렵기 때문입니다.
⑤ 만약 실험 기구가 넘어지면 깨진 조각이나 화학 약품이 튈 수 있기 때문입니다.

16 다음 글을 쓴 목적으로 보아, 글쓴이의 다섯 가지 주장 중 그 '근거'가 적절하다고 보기 어려운 것은? ( )

학교 급식실은 안전사고가 자주 일어나는 곳 중 하나입니다. 안전한 학교생활을 위해 급식실에서는 다음과 같은 수칙을 지켜야 합니다.

첫째, 식판은 항상 두 손으로 바로 듭니다. 우리가 먹는 음식은 여러 사람의 정성이 들어간 소중한 것이기 때문입니다.

둘째, 식판을 들 때 뜨거운 국물에 데지 않게 주의해야 합니다. 뜨거운 국물이 있는 곳을 주의해서 잡지 않으면 화상을 입거나 식판을 놓치게 되어 사고가 날 수 있습니다.

셋째, 줄을 서서 이동할 때 앞사람을 밀지 않고 조심조심 걷습니다. 식판을 들고 있기 때문에 앞사람과 부딪치면 앞사람에게 음식물이 튀거나 다칠 수 있습니다.

넷째, 젓가락이나 포크로 친구와 장난치지 않도록 합니다. 젓가락과 포크는 날카로워서 뜻하지 않게 안전사고를 일으킬 수 있습니다.

다섯째, 먹고 난 식판을 반납할 때에도 식판을 던지지 말고 가만히 내려놓아야 합니다. 안에 있는 수저나 포크가 튀어 다른 친구들에게 피해를 줄 수 있습니다.

① 첫 번째 주장에 대한 근거
② 두 번째 주장에 대한 근거
③ 세 번째 주장에 대한 근거
④ 네 번째 주장에 대한 근거
⑤ 다섯 번째 주장에 대한 근거

[17~19] 다음 글을 읽고 물음에 답하시오.

선생님은 칠판에 사람의 형상을 그렸다. 그러고는 그 안에 자신을 표현할 수 있는 단어나 그림을 그리면 된다고 했다. 자기소개는 매번 할 때마다 떨리고 어렵다. 식구들과 지낼 때의 나와 친구들과 지낼 때의 나, 동네 슈퍼 아줌마를 대할 때의 나, 그리고 혼자 있을 때의 나……. ㉠내 안의 나는 너무 많기 때문이다. 그래서 자기소개를 하다 보면 내가 쓰고 있는 가면 중에 하나가 어떤 모양인지를 설명하고 있는 셈이 돼 버린다. 그런데 이번 자기소개는 전보다 훨씬 까다로웠다. 나를 한 마디로 어떻게 표현할 수 있다는 거지?

첫 번째로 한 남자 아이가 나왔다. 오른쪽 팔목에 스포츠용 손목 보호대를 착용하고 있는 모습이 눈에 띄었다. 그 아이는 왼손으로 손목 보호대를 만지작거리며 무언가 생각하는가 싶더니 사람 형상 안에 '자전거'라고 써넣었다. 그러고는 만족스럽다는 미소를 지으며 설명하기 시작했다.

"이번에 아빠가 새 학기 선물로 자전거를 사 주셨어. 브레이크 없는 자전거. 다들 알지? 원래는 백만 원 하는 건데, 가게 사장님이 십만 원 깎아 주셨지. 미래의 사이클 선수에게 투자하신다나. 내가 워낙 자전거를 잘 타다 보니 아빠도 나를 선수로 키우고 싶어 하시는 거 같아. 자전거에 대해서 궁금한 게 있으면 언제든지 물어봐."

비싼 자전거를 선물 받은 아이가 소개를 마치자 선생님이 아이들을 향해 물었다.

"질문 있는 사람?"

나를 포함한 아이들 모두 입을 꾹 다물고 아무런 말도 꺼내지 않았다. 잠깐 동안 정적이 흐르자, 선생님은 그 아이를 들여보냈다.

다음으로 나온 아이는 분홍빛 레이스와 리본이 달린 화려한 옷을 입고 있었다. 그 아이는 칠판에 '비행기'를 그렸다.

"봉주르, 에브리원, 하지메마시떼. 나는 지금까지 비행기를 이십 번 이상은 탄 것 같아. 우리 아빠가 해외를 오가며 사업을 하시거든. 아빠를 따라서 세계 곳곳을 여행하며 다녔다고 볼 수 있지. 지금은 잠시 한국에서 머무는 중이지만, 곧 외국으로 나가기 때문에 그때까지 너희들과 잘 지내보고 싶어."

비행기를 많이 탔던 아이는 자신의 발표에 흡족해하는 듯 보였다. 하지만 이 아이는 자신의 가면 중에 가장 두껍고 화려한 가면을 보여 준 것 같았다. 사실 나는 이 친구의 이름이 무엇이었는지조차 기억이 나지 않았다.

선생님은 역시 이 아이에게 질문이 있냐고 물어보았지만, 어느 누구도 입을 열지 않았다.

「다섯 번째 새 학기」 이재연

17 다음 중 이 이야기가 언제, 어디에서 일어난 일인지 짐작할 수 있는 말과 거리가 먼 것은? ( )

① 선생님 ② 칠판 ③ 자전거
④ 새 학기 ⑤ 자기소개

18 ㉠에서 '내'가 하고 싶어 하는 말을 가장 바르게 이해한 것은? ( )

① '나'는 식구들도 많고 친구들도 많다.
② '나'는 여러 가지 표정을 지을 줄 안다.
③ '나'의 겉모습과 속마음은 다를 때가 많다.
④ '나'는 부모님과 친구들, 많은 사람들에게 고마움을 느낀다.
⑤ '나'에 대해 소개할 나의 모습은 여러 가지여서 한 마디로 표현하기 어렵다.

19 자기소개를 한 첫 번째 친구와 두 번째 친구에게서 공통으로 느껴지는 점은? ( )

① 자신만만하지만 다른 친구들을 얕보는 마음이 있는 것 같다.
② 처음 만난 친구들과 진심으로 친해지고 싶은 마음이 느껴진다.
③ 어려운 환경 속에서도 꿈을 이루려는 의지가 무척 강해 보인다.
④ 친구들이 어려워하는 일이 있으면 나서서 도와주려는 마음이 느껴진다.
⑤ 부모님이 바라는 대로만 생각하고 자신의 꿈은 생각하지 못하는 것 같다.

[20~21] 다음 글을 읽고 물음에 답하시오.

학교가 끝나고 집으로 돌아가는 길이었다. 어디선가 ㉠"끄응, 끄응." 하는 소리가 들렸다. 꼭 아기 울음소리 같기도 해서 소리가 나는 쪽을 찾아보았더니 조금 떨어진 곳에 털 색깔이 누런 개 한 마리가 보였다. 제자리를 돌며 왔다 갔다 하는 모습이 무슨 일이 있는 것 같았다. 먼지와 흙덩이가 온몸에 묻어 있어서 주인이 있는 개 같지는 않았다. 길거리에 떠도는 개들은 병도 많고 위험하다는데…….

그냥 갈까 하다가 무슨 일인가 싶어서 개가 있는 쪽으로 걸어갔다. 그랬더니 그 누렁이는 내가 자기를 해치려는 줄 알고 후다닥 달아나 버렸다. 그다지 관심이 있어서 그런 건 아니었는데 나를 보자마자 줄행랑을 치는 걸 보자 정이 뚝 떨어졌다. 피식 웃으며 돌아서려는데 다시 그 "끄응, 끄응." 소리가 들렸다.

달아난 개가 맴돌던 자리에는 울타리 밑으로 무릎 깊이의 배수로가 파져 있었는데 그 아래에서 나는 소리였다. 털빛이 누런 강아지 한 마리가 그 배수로에 빠져 앞발을 위로 쳐들고 기어오르려고 내는 소리였다. 달아난 누렁이는 저 강아지의 어미였나 보다.

아무 생각 없이, 정말 별 생각 없이 허리를 숙여 배수로에 빠진 강아지를 들어 올렸다. 그때였다. 어디론가 사라졌다고 생각했던 누렁이가 '다다다다' 하고 순식간에 달려와 내 종아리를 물었다. 나는 순간 깜짝 놀라 발을 내질렀고 누렁이는 깨갱 소리를 내며 다시 달아났다. 순식간에 일어난 일이어서 나는 무엇이 내 종아리에 부딪혔다는 느낌밖에 들지 않았다.

잠깐 무슨 일이 일어났던가 하고 멍하니 서 있다가 들어 올린 강아지를 배수로 밖에다 내려놓았다. 태어난 지 한두 달 정도나 되어 보였다. 강아지는 오랫동안 배수로 안에 갇혀 있었던지 몸을 조금 떨었다.

"야, 네 엄마한테 오해를 두 번이나 받았다. 조금 서운하다고 전해 주어라."

내가 강아지한테서 떨어져야 어미가 다시 찾아올 것 같아서 강아지는 그대로 둔 채 큰길로 걸어 나왔다. 역시 동화 속 이야기와 현실은 다르다. 동화였으면 누렁이는 나를 보고 달아나지 않았을 거고 자신의 새끼를 구해 달라며 슬픈 소리를 내었을 거다. 그리고 내가 제 새끼를 들어 올렸을 때도 내 종아리를 물지 않았을 거고 연신 고맙다며 꼬리를 흔들었겠지.

혹시나 지금은 오해를 풀고 뒤에서 새끼와 함께 나를 바라보고 있지 않을까?

강아지가 있던 배수로를 뒤돌아보았다. 역시 동화 속 이야기와 현실은 다르다. 두 놈 다 순식간에 사라져 버렸다.

20 ㉠ "끄응, 끄응."이 무슨 소리인지 바르게 이해한 것은? ( )

① 강아지가 어미 개의 젖을 빠는 소리
② 어미 개가 강아지를 핥아 주며 내는 소리
③ 강아지가 어미 개를 뒤쫓아 가며 내는 소리
④ 강아지가 배수구에서 빠져나오려고 애쓰는 소리
⑤ 어미 개가 강아지를 배수구에서 끄집어내려고 애쓰는 소리

21 이야기에서 '내'가 누렁이에게 받았다고 말한 '두 번의 오해'를 바르게 정리한 것은? ( )

	첫 번째 오해	두 번째 오해
①	'나'는 누렁이가 위험할지도 모른다고 생각했는데 누렁이는 오히려 순한 개였다.	'나'는 강아지를 구해 주려고 강아지를 들어 올린 건데 누렁이는 제 새끼를 해치는 줄 알고 '내' 종아리를 물었다.
②	'내'가 처음 본 누렁이는 주인이 있는 개인 줄 알았는데 사실은 주인이 없는 떠돌이 개였다.	'내'가 처음 본 누렁이는 혼자서 떠도는 개인 줄로만 알았는데 사실은 새끼를 낳은 어미 개였다.
③	'나'는 그저 무슨 일인가 싶어서 누렁이한테 다가간 것인데 누렁이는 자신을 해치려는 줄 알고 달아났다.	'나'는 강아지를 구해 주려고 강아지를 들어 올린 건데 누렁이는 제 새끼를 해치는 줄 알고 '내' 종아리를 물었다.
④	'나'는 누렁이를 도와주고 싶은 마음이 없었는데 누렁이는 '내'가 자기를 도와주려는 것으로 알고 있었다.	'나'는 떠돌이 개들은 병도 많고 위험하다고 생각했는데 누렁이는 병도 없고 위험하지 않은 개였다.
⑤	'나'는 그저 무슨 일인가 싶어서 누렁이한테 다가간 것인데 누렁이는 자신을 해치려는 줄 알고 달아났다.	'나'는 누렁이가 동화 속 이야기처럼 '나'에게 고마워할 줄 알았는데 누렁이는 전혀 나에게 고마워하지 않았다.

22 다음 조사 결과를 글로 써서 발표하려고 합니다. ㉠에 들어갈 문장으로 알맞지 않은 것은? ( )

＊ 우리 반 친구들이 좋아하는 음식

양식	피자	1명	총 13명
	치킨	8명	
	햄버거	4명	
중식	자장면	3명	총 3명
	짬뽕	–	
	탕수육	–	
한식	비빔밥	–	총 12명
	찌개(된장, 김치찌개)	4명	
	제육볶음	8명	
분식	김밥	6명	총 26명
	떡볶이	12명	
	라면	8명	

조사 대상: 우리 반 친구들 27명

우리 반 친구들이 좋아하는 음식을 조사하였습니다. 양식, 중식, 한식, 분식의 대표 메뉴를 세 가지씩 정하여 친구들이 메뉴 옆에 자유롭게 스티커를 붙일 수 있도록 스티커 판을 만들었습니다. 그리고 그중에 자기가 좋아하는 음식을 두 개씩만 골라 스티커를 붙여 보도록 하였습니다. 그 결과 ㉠

① 가장 많은 표를 차지한 음식은 떡볶이였습니다.
② 양식 중 스테이크는 반 친구들에게 인기가 없었습니다.
③ 중식은 자장면을 제외하고 표를 받은 음식이 없었습니다.
④ 우리 반 친구들은 분식을 가장 좋아하는 것으로 조사되었습니다.
⑤ 우리 반 친구들이 비교적 좋아하는 한식 메뉴로는 제육볶음이 있었습니다.

[23 ~ 24] 다음 시를 읽고 물음에 답하시오.

소나기

오순택

누가 잘 익은 콩을
저렇게 쏟고 있나

또르록 마당 가득
실로폰 소리 난다

소나기 그치고 나면
하늘빛이 더 맑다

23 이 시에서 말하는 이가 실제로 들은 소리로 알맞은 것은? ( )

① 소나기가 내리는 소리
② 마당에서 콩을 터는 소리
③ 실로폰으로 연주하는 소리
④ 쟁반 위에 콩이 굴러가는 소리
⑤ 수도꼭지에서 물방울이 떨어지는 소리

24 이 시에 대한 감상으로 가장 알맞은 것은? ( )

① 소리를 나타내는 감각적 표현이 실감 나게 느껴진다.
② 친구를 그리워하는 말하는 이의 마음에 공감이 간다.
③ 여름철, 농사일에 바쁜 시골의 모습이 자연스럽게 떠오른다.
④ 변덕스러운 날씨를 사람의 성격에 빗대어 표현한 점이 재미있다.
⑤ 힘을 합치면 어려운 일도 이겨 낼 수 있다는 주제가 잘 느껴진다.

25 다음 ㉠ ~ ㉢ 에 들어갈 말이 바르게 짝지어진 것은? ( )

- 이것은 학용품 ㉠ .
- 이 사과는 얼마 ㉡ ?
- 안녕하세요? 저는 수경이 ㉢ .

	㉠	㉡	㉢
①	-예요	-에요	-예요
②	-이예요	-예요	-에요
③	-이에요	-에요	-예요
④	-이예요	-예요	-예요
⑤	-이에요	-예요	-예요

26 다음 중 높임 표현이 바르지 않은 문장은? ( )

① 손님, 주문하신 음료수 나왔습니다.
② 선생님께서 반장이 어디에 있냐고 물으셨다.
③ 친구와 함께 아저씨를 역까지 모셔다 드렸다.
④ 오늘은 내 생일이라 할머니께서 용돈을 드리셨다.
⑤ 주말에 누나와 함께 할머니 댁에 놀러 가기로 하였습니다.

27 다음과 같은 주제로 글을 쓰려고 할 때 글에 들어갈 내용으로 어울리지 않는 것은? ( )

주제	인사를 잘하는 어린이가 되자.

① 인사를 하는 까닭
② 인사를 하면 좋은 점
③ 인사를 하였을 때의 기분
④ 인사를 잘하자는 강조의 말
⑤ 세계 여러 나라의 다양한 인사 방법

28 다음과 같은 짜임의 개요도에 가장 어울리는 글감은? ( )

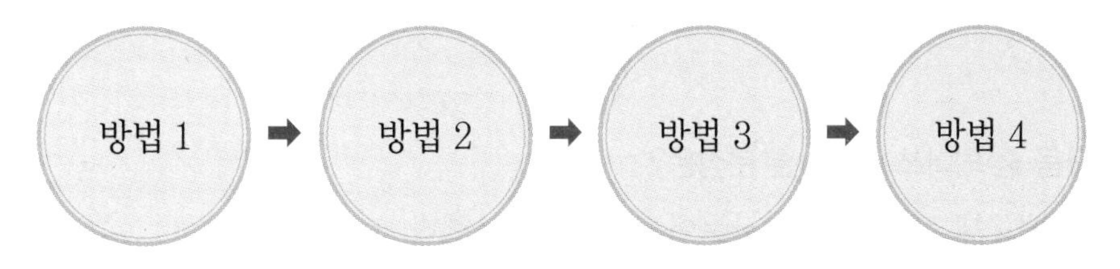

① 석가탑과 다보탑
② 한지를 만드는 차례
③ 동물과 식물의 차이점
④ 여러 가지 악기의 종류
⑤ 세계 여러 나라의 전통 의상

29 다음 글의 ㉠ 에 들어갈 문장으로, 글쓴이가 하고 싶어 하는 말을 가장 잘 드러낼 수 있는 표현은? ( )

> 책이 우리에게 주는 지식은 헤아릴 수 없습니다. 여러분의 방에는 몇 권의 지식이 쌓여 있나요? ㉠ . 내 방에 아무리 훌륭한 책이 많이 쌓여 있어도 내가 스스로 읽지 않으면 책은 지식이 아니고 장식품일 뿐입니다.

① 가는 날이 장날이라고 하였습니다.
② 낫 놓고 기역 자도 모른다고 하였습니다.
③ 업은 아이 삼 년 찾는다는 말이 있습니다.
④ 구슬이 서 말이라도 꿰어야 보배라고 하였습니다.
⑤ 호랑이에게 물려 가도 정신만 차리면 산다고 하였습니다.

30 다음 중 띄어쓰기가 바른 문장은? ( )

① 백군대∨청군으로∨나누어∨달리기를∨했다.
② 바구니에는∨오이,가지,양파가∨들어∨있었다.
③ 효연이는∨상을∨타기까지∨수많은∨노력을∨했다.
④ 어쩔수∨없이∨나는∨거짓말을∨할수밖에∨없었다.
⑤ 첫번∨째로∨나선∨아이는∨나와∨가장∨친한∨영석이였다.

HME 해법국어 학력평가

학 교 명:

성 명:

현재 학년: 반:

OMR카드 작성 시 유의사항

1. 학교명, 성명, 학년, 반, 수험 번호, 생년월일, 성별 기재
2. 반드시 원 안에 "●"와 같이 마킹해야 합니다.
3. OMR카드에 답안 이외에 낙서 등 손상이 있는 경우 즉시 감독관에게 문의하시기 바랍니다.
4. 답을 작성하고 마킹을 하지 않는 경우 오답으로 간주합니다.
5. 답안은 작성 후 반드시 감독관에게 제출해야 합니다. 제출하지 않아 발생하는 사고에 대해서는 책임지지 않습니다.

※ **OMR카드를 잘못 작성하여 발생한 성적 결과는 책임지지 않습니다.**

※ OMR카드 작성 예시 ※

※ 30문항 모두 객관식 문제입니다. 정답에 해당하는 보기 숫자에 정확하게 마킹을 하셔야 합니다.

※ 1번 문항의 답이 3번인 경우, 맞게 마킹한 예시

1	①	②	●	④	⑤

〈보기〉

바른 표기: ●

틀린 표기: ✓ ⊗ ◐ ⊙ ⦶ ◌ ◌ ◌ ◌

수험 번호 (1)												
(2)	⓪~⑨	⓪~⑨	–	⓪~⑨	⓪~⑨	⓪~⑨	–	②~⑨	–	⓪~⑨	⓪~⑨	⓪~⑨

※ (1)번 란에는 아라비아 숫자로 쓰고, (2)번 란에는 해당란에 까맣게 표기해야 합니다.

(1)	생년월일						성별
	년		월		일		
(2)	⓪~⑨	⓪~⑨	⓪~①	⓪~⑨	⓪~③	⓪~⑨	남 ○ / 여 ○

(예시) 2012년 3월 2일생인 경우, (1)번 란 년, 월, 일 밑 빈칸에 12 03 02 를 쓰고, (2)번 란에는 그 숫자를 마킹합니다.

감독관 확인란

답 란

번호						번호						번호					
1	①	②	③	④	⑤	11	①	②	③	④	⑤	21	①	②	③	④	⑤
2	①	②	③	④	⑤	12	①	②	③	④	⑤	22	①	②	③	④	⑤
3	①	②	③	④	⑤	13	①	②	③	④	⑤	23	①	②	③	④	⑤
4	①	②	③	④	⑤	14	①	②	③	④	⑤	24	①	②	③	④	⑤
5	①	②	③	④	⑤	15	①	②	③	④	⑤	25	①	②	③	④	⑤
6	①	②	③	④	⑤	16	①	②	③	④	⑤	26	①	②	③	④	⑤
7	①	②	③	④	⑤	17	①	②	③	④	⑤	27	①	②	③	④	⑤
8	①	②	③	④	⑤	18	①	②	③	④	⑤	28	①	②	③	④	⑤
9	①	②	③	④	⑤	19	①	②	③	④	⑤	29	①	②	③	④	⑤
10	①	②	③	④	⑤	20	①	②	③	④	⑤	30	①	②	③	④	⑤

기초 학습능력 강화 프로그램

2022년 신간

매일 조금씩 **공부력 UP**

똑똑한 하루
독해&어휘

쉽다!	**재미있다!**	**똑똑하다!**
10분이면 하루치 공부를 마칠 수 있는 커리큘럼으로, 아이들이 쉽고 재미있게 독해&어휘에 접근할 수 있도록 구성	교과서는 물론 생활 속에서 쉽게 접할 수 있는 다양한 소재를 활용해 흥미로운 학습 유도	초등학생에게 꼭 필요한 상식과 함께 창의적 사고력 확장을 돕는 게임 형식의 구성으로 독해력&어휘력 학습

공부의 핵심은 독해!

예비초~초6, A/B, 총 14권

독해의 시작은 어휘!

예비초~초6, A/B, 총 14권

HME 국어 학력평가는

매년 전국 단위로 실시하는 국어 학력평가로,
독해, 어휘, 문법 등의 국어 기초 능력과 학년별 국어 학습 성취도를 평가하는 시험입니다. 전국 단위의 평가로 진행되어 학생들의 국어 학습 수준과 성취도를 객관적으로 평가 받을 수 있습니다.

Haebub Measurement and Evaluation of korean

HME 국어 학력평가

초등 3학년

정답과 해설

천재교육

정답과 해설
포인트 4가지

▶ 혼자서도 이해할 수 있는 친절한 문제 풀이

▶ 헷갈리는 보기는 〈왜 틀렸을까?〉에서 보다 자세히 설명

▶ 유형별 문항을 푸는 요령과 답안 선택 시 주의할 점 제시

▶ 출제 문항에서 꼭 알아야 할 국어 지식과 학습 개념 꼼꼼 정리

HME
국어 학력평가

정답과 풀이 차례

대표 유형 문제

실전 모의고사

HME 국어 학력평가

정답과 풀이

대표 유형 문제 듣기·말하기

교재 | 10 ~ 13쪽

문항 번호	정답	유형	평가 내용	난이도	제재
1	④	사실	대화의 주제 파악하기	쉬움	수업 대화
2	③	사실	대화의 내용 파악하기	보통	수업 대화
3	③	추론	대화에서 가리키는 대상의 내용 짐작하기	보통	일상 대화
4	③	추론	표정, 몸짓을 보고 대화 내용 짐작하기	보통	일상 대화
5	⑤	비판 · 감상	대화 상황에 알맞은 내용으로 말하기	보통	면담
6	③	비판 · 감상	상대 의견에 적절한 생각 말하기	보통	면담
7	④	생성 · 조직	회의 주제에 알맞은 의견 말하기	보통	회의
8	③	생성 · 조직	알맞은 까닭을 들어 의견 말하기	보통	회의

풀이

1 대화에서 가장 많은 부분을 이야기하고 있는 주제는 '문화재를 보호해야 하는 까닭'에 관련됩니다.

2 '많은 관광객을 유치할 수 있기 때문에 문화재를 보호해야 한다.'고 하였지만 외국 관광객들이 너무 많이 오면 문화재를 보호하기가 쉽지 않다는 내용은 없습니다.

3 대화 내용으로 보아 정희와 송희가 달리기를 하다가 송희가 넘어져서 정희가 1등을 하였음을 짐작할 수 있습니다.

4 아이가 어딘가를 가리키며 할머니와 대화하고 있으므로 할머니가 길을 물어보았고 아이가 길을 안내하고 있음을 알 수 있습니다.

5 학기 중에 배우지 못했던 것도 배워 보고, 보다 많은 것을 해 보았으면 좋겠다는 교장 선생님의 말에 민호가 뒤이어 고맙다고 하였으므로 이어질 대답으로 적절한 것은 ⑤입니다.

6 여름 방학 때 보다 적극적으로 자신이 하고 싶은 것을 찾아보라는 것이 교장 선생님의 말씀이므로 이에 적절한 대답이 되려면 여름 방학 때 자신은 무엇을 해 보겠다는 내용이 이어져야 합니다.

7 학급 회의 주제가 어떤 방법으로 앉을 자리를 정하면 좋을지에 대한 것이므로 앉을 자리를 정하는 구체적인 방법을 말해야 합니다.

8 ㉡이 의견에 해당하고, ㉠은 그 의견에 대한 근거가 됩니다. 그리고 ㉢은 '또'를 사용하여 또 다른 좋은 점에 대해 이야기하고 있습니다.

평가 개념과 도움말

1 대화의 이야깃거리나 주제를 찾아보려면 대화에서 가장 많이 나오는 낱말이나 내용을 살펴봅니다.

4 아이는 할머니께 높임말로 말해야 하므로 대화에서 할머니와 아이의 말을 구분해 볼 수 있습니다.

7 **알맞은 의견 말하기**
① 회의 주제에 어울려야 합니다.
② 알맞은 근거(까닭)가 있어야 합니다.

대표 유형 문제 읽기

교재 | 16 ~ 21쪽

문항 번호	정답	유형	평가 내용	난이도	제재
1	②	내용 확인	글의 중심 내용을 잘 드러내는 제목 찾기	보통	설명하는 글
2	③	내용 확인	중심 내용과 뒷받침 내용 구분하며 읽기	보통	설명하는 글
3	⑤	내용 확인	글의 내용 파악하기	보통	비교 대조의 글
4	④	내용 확인	비교 · 대조의 짜임을 이해하며 읽기	보통	비교 대조의 글
5	④	평가 · 감상	글쓴이의 주장 파악하기	보통	주장하는 글
6	④	평가 · 감상	글의 흐름에 알맞은 의견 찾기	보통	주장하는 글
7	④	평가 · 감상	글을 쓴 목적을 파악하며 읽기	보통	마음을 전하는 글
8	③	평가 · 감상	글 흐름에 적절한 의견 떠올리기	보통	마음을 전하는 글
9	③	추론	글에 직접 드러나지 않은 내용 짐작하기	보통	생활문
10	⑤	추론	글쓴이가 하고 싶은 말 짐작하기	보통	생각을 표현한 글
11	②	추론	광고의 의도 파악하기	어려움	광고
12	⑤	추론	광고의 의도를 드러내는 말 찾기	어려움	광고

풀이

1 '웃음은 마음을 치료하는 힘이 있다.', '웃음은 사람과 사람의 관계를 부드럽게 하는 힘이 있다.', '웃음은 사람의 몸을 건강하게 만드는 힘이 있다.'와 같이 웃음이 가진 효과와 장점에 대해 설명하고 있는 글이므로 글의 제목은 '웃음의 효과'나 '웃음의 좋은 점' 등이 알맞습니다.

2 각 문단의 첫 번째 문장에서 중심 내용을 잘 드러내고 있고 나머지 문장들은 첫 번째 문장의 내용을 자세히 설명하거나 뒷받침하는 내용입니다. 이 글에서 각 문단의 첫 번째 문장과 같이 문단의 내용을 대표하는 문장을 중심 문장이라고 합니다.

3 연필과 볼펜의 공통점과 차이점에 대해 설명하고 있는 글입니다. 잉크를 사용하는 볼펜이 연필보다 깨끗한 글자를 쓸 수 있다는 내용은 글에 나와 있지 않습니다.

4 연필과 볼펜의 공통점과 차이점을 틀에 정리할 때 ㈎ 부분에는 연필과 볼펜의 공통점이 들어가야 합니다. 연필과 볼펜의 공통점으로는 필기도구라는 점, 모양이 길쭉하다는 점, 잡는 방법이 같다는 점 등이 있습니다.

평가 개념과 도움말

1 글의 제목
설명하는 글의 제목은 설명하고자 하는 중심 글감을 이용하여 짓습니다.

2 중심 내용
문단의 중심 내용은 문단의 내용을 대표할 수 있는 문장, 즉 중심 문장에서 찾을 수 있습니다.

정답과 풀이

5 횡단보도 신호가 바뀌면 차가 완전히 멈춘 것을 확인하고 건너야 하므로 천천히 길을 건너야 한다고 하였습니다.

■ 글의 짜임 알아보기

어린이 교통사고를 줄이기 위해 할 수 있는 일

① 차가 다니는 도로 근처에서는 항상 주의를 해야 한다.
② 반드시 횡단보도 신호가 초록불로 바뀐 것을 확인하고 천천히 길을 건너야 한다.
③ 비가 오는 날에는 우의를 입거나 앞이 잘 보이는 투명한 우산을 써야 한다.

5 이와 같이 어떤 문제에 대한 해결 방법을 제안하는 글의 짜임을 '문제와 해결의 짜임'이라고 합니다.

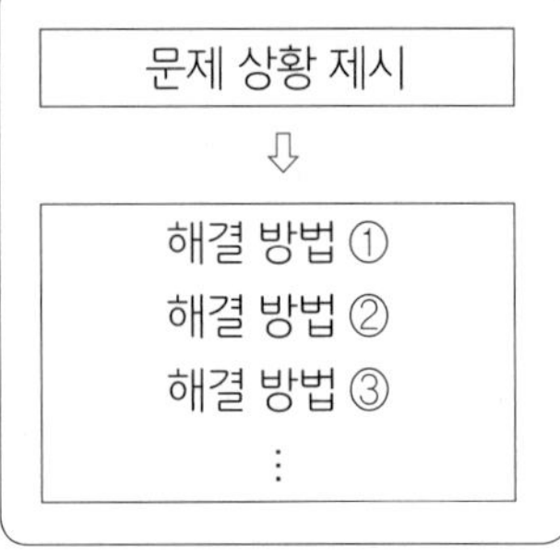

▲ 문제와 해결의 짜임

6 '우리 스스로 어린이 교통사고를 줄이려면 어떻게 해야 할까?'에 대한 해결 방법이 들어가야 하므로 '어린이 스스로' 실천할 수 있는 방안이어야 합니다.

왜 틀렸을까?
①이나 ③, ⑤는 교통사고를 줄이기 위한 방법으로 알맞지만 어린이 스스로 교통사고를 줄이기 위해 할 수 있는 일로는 알맞지 않습니다.

7 우리 반 뒤에 있는 쓰레기통 주변이 지저분하니 깨끗한 교실을 위해 조금씩 노력해 보자고 문제에 대한 해결 방법을 제안하고 있는 글입니다.

8 쓰레기통 주변을 깨끗이 하기 위한 방법으로 알맞은 것을 골라야 합니다.

9 '나'의 집은 정수네 집과 거리가 멀지만 정수네 집을 찾아가겠다고 손을 든 것으로 보아, '나'는 정수가 걱정되고 정수를 도와주고 싶어 한다는 것을 알 수 있습니다.

10 별주부전 이야기 속 자라는 토끼를 속인 자신이 잘못한 게 아니라 욕심을 부린 토끼가 잘못한 것이라고 말하고 있습니다.

왜 틀렸을까?
① 토끼는 영리한 동물이다. – 글의 내용으로 알 수 있는 말이지만 '내(자라)'가 이 글에서 말하고 싶어 하는 내용으로는 알맞지 않습니다.

10 글쓴이가 글에서 말하고 싶어 하는 내용을 찾으려면 글 전체의 내용에서 하고 싶은 말을 간추려야 합니다.

11 게임용 리모컨이 도로 위를 달리고 있는 그림입니다. 운전은 게임이 아니라는 말을 통해 운전을 게임처럼 하면 안 된다는(난폭하게 운전을 하면 안 된다는) 의미를 전하고 있습니다.

11 광고의 의도를 파악하려면 그림에서 전하고자 하는 뜻이나 광고에 쓰인 말의 의미를 파악해야 합니다.

12 "운전은 게임이 아닙니다."와 이어서 운전을 게임처럼 난폭하게 하면 안 된다는 의미를 가장 잘 나타내려면 ⑤와 같은 말이 적절합니다. ④는 게임 중독의 위험성을 강조하는 말로 안전 운전을 강조하는 광고의 의도와는 관계가 없습니다.

대표 유형 문제 쓰기

교재 | 24 ~ 26쪽

문항 번호	정답	유형	평가 내용	난이도	제재
1	②	내용 생성	주제에 알맞은 쓸 내용 떠올리기	어려움	생각 그물
2	③	내용 생성	제목과 주제에 어울리는 쓸 내용 떠올리기	보통	
3	⑤	내용 조직	글 짜임에 맞게 쓸 내용의 순서 정하기	보통	주장하는 글
4	②	내용 조직	글의 짜임에 어울리는 글감 찾기	보통	
5	⑤	표현·고쳐쓰기	중심 내용에 알맞은 중심 문장 쓰기	보통	설명하는 글
6	④	표현·고쳐쓰기	주제나 중심 내용에 알맞게 고쳐쓰기	보통	설명하는 글

풀이

1 설명하는 중심 글감 주위에 추석, 설, 대보름, 동지가 나열되어 있으므로 설명하는 중심 글감은 '우리나라의 명절'임을 알 수 있습니다. 그네를 타고, 창포물에 머리를 감는 풍습이 있는 명절은 '단오'입니다.

2 지구 온난화를 막기 위해 모두가 노력하자고 주장하고 글을 쓰려면 지구 온난화의 원인과 해결 방법을 중심으로 글을 쓸 수 있습니다.

3 문제와 해결의 짜임으로 글을 쓰려면 처음에는 문제 상황에 대해 설명하고 가운데에는 이를 해결할 수 있는 방법을 제안하는 것이 좋습니다. ㉠은 문제 상황에 대한 설명이고 ㉡, ㉣, ㉤은 문제에 대한 해결 방법에 해당합니다.

4 ㉠은 일을 하는 차례를 설명하는 글이 알맞고, ㉡은 두 대상을 비교 · 대조하는 글이 알맞습니다. ㉢은 문제에 대한 해결 방법을 제안하는 글이 알맞습니다.

5 이어지는 내용이 가족들이 집 안 청소를 어떻게 나누어서 하는지에 대한 것이므로 중심 문장은 '우리 가족은 청소를 나누어서 합니다.'가 알맞습니다.

왜 틀렸을까?
문단의 중심 문장은 나머지 뒷받침 문장의 내용들을 대표할 수 있는 문장이어야 합니다. ①, ②, ③과 같은 문장도 글의 흐름상 빈칸에 들어갈 수는 있지만 나머지 문장에서 설명하고자 하는 주된 내용을 대표하는 문장은 아닙니다.

6 소방관은 어떤 직업인지에 대해 설명하고 있는 글이므로 이와 관계가 적은 ㉢은 글에서 삭제하거나 소방관과 관련된 내용으로 고쳐 주는 것이 적절합니다.

평가 개념과 도움말

1 중심 글감: 설명하고자 하는 대상과 같이 글에서 가장 중요하고 중심이 되는 글감.

4 글의 짜임과 틀

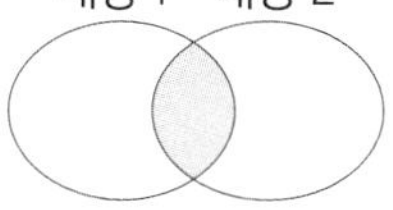

▲ 비교·대조의 짜임

▲ 순서 짜임

정답과 풀이

대표 유형 문제 문법

교재 | 29 ~ 31쪽

문항 번호	정답	유형	평가 내용	난이도
1	⑤	문장·담화	높임을 표현하는 방법 구분하기	보통
2	③	문장·담화	'-시-'를 넣은 높임 표현 찾기	보통
3	⑤	발음·표기·규범	맞춤법에 알맞은 낱말 쓰기	쉬움
4	③	발음·표기·규범	맞춤법에 알맞은 낱말 쓰기	어려움
5	⑤	발음·표기·규범	낱말과 낱말 사이 띄어쓰기	쉬움
6	④	발음·표기·규범	띄어쓰기 규칙을 알고 문장을 바르게 띄어쓰기	보통
7	①	발음·표기·규범	형태가 바뀌는 낱말과 바뀌지 않는 낱말 구분하기	보통
8	②	발음·표기·규범	낱말의 기본형 찾기	쉬움
9	④	발음·표기·규범	국어사전에서 낱말을 찾는 방법 알기	보통

풀이

1 높임을 표현하는 방법 중에서 ㉤ '웃으셨다'는 '웃다'에 '-시-'를 넣어 높임을 표현한 경우입니다.

2 ㉢ '모시다'는 '데리다'의 높임말로 이는 높임의 뜻이 있는 특별한 낱말을 사용하여 높임을 표현한 경우입니다.

3 '같지 않다'의 뜻으로 쓰이는 '다르다'는 '다르니, 다르고, 달라'와 같이 모양이 바뀝니다. '달르다'는 '다르다'를 잘못 쓴 표현입니다.

4 '베개', '얼마예요', '나았으면', '넘어'가 바르게 쓴 낱말입니다. '너머'는 '저쪽 공간, 저편'을 뜻하는 말이므로 ⑤는 '담을 넘어'로 쓰는 것이 바릅니다.

5 '종이 두∨장', '수박 한∨통', '수저 한∨벌', '의자 한∨개'와 같이 수를 나타내는 말과 단위를 나타내는 말은 띄어 씁니다.

6 낱말 단위로 띄어 쓰되, '삼십∨분'과 같이 단위를 나타내는 말은 앞말과 띄어 씁니다.

7 '먹다', '작다', '웃다'는 '먹고, 작고, 웃고'와 같이 형태가 바뀌어 쓰이는 낱말이고 '동생', '도서관', '소금'은 형태가 바뀌지 않는 낱말입니다.

8 '하늘을 나는 새'의 '나는'은 기본형이 '날다'입니다.

9 '당근'과 '던지다' 중 모음자 'ㅏ'가 앞서므로 '당근'이 먼저 실리고, '동물'과 '동생' 중 두 번째 글자의 첫소리가 '생'의 'ㅅ'보다 '물'의 'ㅁ'이 앞서므로 '동물'이 먼저 실립니다.

평가 개념과 도움말

1 '-시-'를 넣은 임 표현
가다 → 가시다, 가셨다
주다 → 주시다, 주셨다
잡다 → 잡으시다, 잡으셨다

4 '낳다'와 '낫다'
낳다 – 새끼를 낳다.
낫다 – 병이 낫다.

5 단위를 나타내는 낱말
'한 송이, 한 개, 한 명'과 같이 수나 양을 나타내는 기준이 되는 말.

7 형태가 바뀌는 말
'자다 – 자고, 자서, 자면, 자니'와 같이 서술어로 쓰이는 낱말은 그 형태가 바뀌어 쓰입니다.

대표 유형 문제 문학

교재 | 34 ~ 35쪽

문항 번호	정답	유형	평가 내용	난이도	제재
1	⑤	지식	시에서 감각적 표현의 효과 알기	보통	시
2	③	지식	시에서 시적 표현의 의미 알기	보통	시
3	③	수용과 생산	이야기의 내용 파악하기	보통	이야기
4	④	수용과 생산	이야기의 흐름과 어울리는 사건 짐작하기	보통	이야기

풀이

1 '뜨끈뜨끈'은 감기에 걸려 몸에서 열이 나는 상태를 재미있게 표현해 주고, '오들오들'은 감기에 걸려 추운 기운이 드는 상태를 재미있게 나타내는 감각적인 표현입니다.

■ 시의 특성
① 짧고 간결한 말로 표현합니다.
② 같은 말이나 글자 수가 반복되면서 노래를 부르는 듯한 느낌을 줍니다.
③ 어떤 대상을 다른 대상에 빗대어 나타내는 표현이 자주 쓰입니다.
④ 시어에 담겨 있는 의미를 생각하며 읽습니다.

2 '거북이'는 약을 먹고 나서 몸이 느려진 상태를, '잠꾸러기'는 잠만 오는 상태를 빗대어 표현하고 있습니다.

왜 틀렸을까?
시에 쓰인 말의 의미를 이해하려면 시의 내용과 관련지어 생각해야 합니다. ①, ④도 '거북이'나 '잠꾸러기'에 관련된다고 볼 수는 있지만 감기에 걸린 시의 상황과는 거리가 멉니다.

3 무서운 표정을 보여 준 것뿐인데 엄마를 이겨 버렸다고 한 말에서 '신통방통한 무기'란 하율이가 불만을 표정으로 드러내는 것임을 알 수 있습니다.

4 하율이는 무서운 표정을 보여 주면 모두 이길 줄 알았는데 아빠는 통하지 않았다는 내용에서 하율이가 아빠에게 무서운 표정을 보여 준 사건이 앞에서 일어났음을 짐작할 수 있습니다. 하율이가 무서운 표정을 지은 원인이 되는 사건으로는 ④가 가장 자연스럽습니다.

■ 이야기의 특성
① 인물, 사건, 배경(시간, 장소)으로 구성됩니다.
② 인물의 성격에 따라 이야기의 전개가 달라집니다.
③ '발단, 전개, 절정, 결말'과 같은 사건의 전개 과정이 있습니다.

평가 개념과 도움말

1 감각적 표현
어떤 대상에 대한 느낌을 직접 보고, 듣고, 냄새 맡듯이 생생하게 나타낸 표현.

예 보들보들 복슬복슬한 강아지 털(손으로 만지는 느낌)
예 달콤하고 짭짜름한 멸치 (맛을 보는 느낌)

4 사건의 순서를 파악하며 이야기를 읽는 방법
원인이 되는 사건과 결과가 되는 사건을 구분하며 읽습니다. 원인이 되는 사건은 결과가 되는 사건보다 항상 앞서 일어납니다.

〈원인〉 → 〈결과〉
먼저 일어남. 나중에 일어남.

HME 국어 학력평가

정답과 풀이

대표 유형 문제 어휘

교재 | 38 ~ 40쪽

문항 번호	정답	유형	평가 내용	난이도
1	④	개념	모양을 흉내 내는 말과 소리를 흉내 내는 말의 종류 구분하기	쉬움
2	①	개념	꾸며 주는 말의 기능 알기	쉬움
3	④	개념	문장에 알맞게 흉내 내는 말 사용하기	쉬움
4	⑤	관계	낱말의 포함 관계 알기	어려움
5	③	관계	낱말의 반의 관계 알기	보통
6	③	관계	표현하고자 하는 의도에 알맞은 낱말 사용하기	보통
7	④	의미·확장	관용 표현이나 관용어의 의미 알기	보통
8	④	의미·확장	표현 의도에 알맞게 속담 사용하기	쉬움
9	①	의미·확장	낱말의 다양한 의미를 이해하고 활용하기	보통

풀이

1 '깡충깡충, 펄럭펄럭, 뭉게뭉게'는 사물의 모양을 흉내 내는 말이고 '음매음매, 삐악삐악, 달그락달그락'은 사물의 소리를 흉내 내는 말입니다.

2 꾸며 주는 말과 꾸밈을 받는 말의 짜임을 고릅니다. '작은 가방'에서 '작은'은 가방을 꾸며 주고, '가방'은 꾸밈을 받는 말입니다.

3 ④는 자동차가 시동을 걸 때 나는 소리이므로 뛰어간다는 뒷말과 어울리지 않습니다.

4 '비'는 여러 가지 종류의 비를 포함할 수 있습니다. '소나기', '이슬비', '여우비', '가랑비'는 모두 비의 한 종류입니다.

5 어떤 기준을 놓고 서로 반대되는 뜻을 가진 낱말을 찾습니다. '주다'의 반대말은 '받다'입니다.

6 하룻밤 자고 가겠다는 의미이므로 '묵다'를 쓸 수 있습니다. 묵다: 일정한 곳에서 나그네로 머무르다. ㉮ 절에서 하루를 묵었다.

7 '발이 넓다'는 사귀어 아는 사람이 많고 활동 범위가 넓다는 뜻입니다.

8 자신의 큰 허물은 생각하지 못하고 남의 작은 잘못만 들추어낸다는 뜻으로 '가랑잎이 솔잎더러 바스락거린다고 한다'는 속담이 있습니다.

9 손이 부족하다: 일손 / 손이 미치지 않는다: 영향력이나 권한이 미치는 범위 / 손이 많이 가다: 어떤 일을 하는 데 드는 힘이나 노력

평가 개념과 도움말

1 흉내 내는 말
어떤 소리나 모양을 말로써 비슷하게 나타내어 주는 말.

3 흉내 내는 말은 뒤에 오는 내용을 꾸며 주는 말로도 쓰입니다.

허둥지둥 달려갑니다.
(흉내 내는 말) → (꾸며 주는 말)

5 헷갈리는 반의 관계 낱말

작다 ↔ 크다(○) / 길다(×)
길다 ↔ 짧다(○) / 작다(×)
넓다 ↔ 좁다(○) / 작다(×)
많다 ↔ 적다(○) / 작다(×)
짧다 ↔ 길다(○) / 크다(×)
같다 ↔ 다르다(○) / 틀리다(×)
맞다 ↔ 틀리다(○) / 다르다(×)

실전 모의고사 1회

교재 | 42 ~ 59쪽

문항 번호	정답	대영역	중영역	평가 내용	난이도	배점
1	③	듣기·말하기	사실	대화를 듣고 대화의 주제 파악하기	보통	3점
2	④	듣기·말하기	추론	인과 관계에 알맞은 대답 짐작하기	어려움	4점
3	⑤	듣기·말하기	비판·감상	표정, 몸짓, 말투를 통해 상대에 대해 알기	보통	3점
4	③	어휘	관계	유의 관계의 낱말 찾기	보통	3점
5	①	읽기	내용 확인	자료를 단서로 글의 내용 파악하기	보통	3점
6	④	읽기	내용 확인	글과 자료를 관련지어 읽기	어려움	3점
7	④	어휘	의미	앞뒤 내용으로 어휘의 의미 파악하기	보통	3점
8	③	읽기	내용 확인	인물의 처지, 마음, 특성을 이해하며 읽기	보통	3점
9	⑤	읽기	평가·감상	글을 읽고 주장과 근거의 적절성 판단하기	어려움	3점
10	④	문법	문장·담화	일상에서 알맞은 높임 표현 사용하기	보통	4점
11	③	읽기	추론	글에 생략된 낱말, 문장, 내용 추론하기	보통	3점
12	④	문법	규범	맞춤법에 알맞은 낱말 쓰기	보통	3점
13	⑤	읽기	평가·감상	글을 읽고 타당한 내용인지 판단하기	어려움	4점
14	③	읽기	내용 확인	글의 중심 내용을 파악하며 읽기	보통	3점
15	③	읽기	평가·감상	글을 읽는 목적에 알맞은 내용 정리하기	보통	3점
16	②	읽기	추론	글 내용을 바탕으로 인물에 대해 짐작하기	보통	3점
17	③	읽기	평가·감상	글을 읽고 인물의 가치 판단하기	보통	4점
18	⑤	문학	수용과 생산	이야기의 흐름을 파악하여 이어질 내용 상상하기	보통	3점
19	⑤	문학	수용과 생산	인물의 말이나 행동의 까닭 짐작하기	보통	3점
20	③	문학	지식	시에서 흉내 내는 말 찾기	쉬움	3점
21	②	문학	지식	시에서 감각적 표현의 효과 알기	보통	3점
22	⑤	문법	발음·표기·규범	국어사전에서 낱말을 찾는 방법 알기	보통	4점
23	⑤	문학	지식	이야기의 구성 요소 파악하기	보통	3점
24	③	문학	수용과 생산	작품에 대한 여러 사람의 생각과 느낌 비교하기	보통	4점
25	②	쓰기	내용 생성	주제나 화제에 알맞은 내용 떠올리기	보통	4점
26	③	쓰기	표현·고쳐쓰기	원인과 결과에 맞게 표현하기	어려움	4점

정답과 풀이

27	③	쓰기	내용 조직	중심 문장과 뒷받침 문장으로 문단 쓰기	보통	3점
28	③	어휘	확장	같은 방법으로 만들어진 낱말 찾기	쉬움	3점
29	①	읽기	내용 확인	글과 자료를 통해 주요 내용 이해하기	어려움	4점
30	④	쓰기	내용 생성	자료를 바탕으로 쓸 내용 떠올리기	어려움	4점

풀이

1 '작아서 안 맞을 것 같다'고 한 부분과 '한번 써 볼 수 있겠냐'고 물어본 내용에서 '모자'에 대해 이야기하고 있음을 알 수 있습니다.

2 찬호가 아빠한테 한번 말씀드려 볼게라고 대답하였으므로 명찬이가 찬호네 등산에 따라갈 수 있는지 물었을 것이라고 예상할 수 있습니다.

> **왜 틀렸을까?**
> ①이나 ⑤의 경우 찬호가 찬호네 아빠한테 한번 말씀드려 보겠다는 내용과는 자연스럽게 이어지지 않는 말입니다.

3 기운 없이 한숨을 쉬며 대답하는 영미의 표정으로 보아 영미는 오늘 미술학원에 가고 싶지 않음을 알 수 있습니다.

4 비슷한 뜻을 가진 낱말끼리 묶었으므로 '친구–동무', '추석–한가위'로 짝지을 수 있습니다.

5 김 아래에 김발을 깔아 김발을 이용해서 말면 더욱 깔끔하고 예쁜 모양으로 말 수 있다고 하였으므로 ㈎는 김발을 나타낸 것임을 알 수 있습니다.

> **왜 틀렸을까?**
> ④의 경우는 김발이 아니어도 바닥의 먼지가 묻지 않게 할 수 있고 글에서 설명한 김발의 주요 역할과 관련이 없습니다.

6 ㉠은 재료를 준비하는 사진이고 ㉡은 김밥을 마는 사진입니다. 글 내용에서 이 두 사진의 내용 사이에는 김 위에 밥을 넓게 펴서 바르는 차례가 소개되어 있습니다.

7 '애걸복걸'이란 어떤 바람을 들어 달라고 애처롭게 사정하여 간절히 비는 것을 뜻하는 말입니다.

8 호랑이가 입을 쩍 벌리고 나그네를 잡아먹으려고 하는 상황이므로 나그네는 다급한 목소리로 한 번 더 재판을 하자고 말했을 것입니다.

9 소나무와 길은 자신의 처지나 사람에 대한 선입견을 가지고 나그네에 대해 재판을 하고 있습니다. 소현이는 선입견을 가지고 판단을 내리면 안 된다는 의견을, 옥희는 자신이 처한 상황을 근거로 다른 이를 판단하면 실수를 하게 된다는 의견을 말하였습니다.

평가 개념과 도움말

2 대화 중간에 들어갈 말을 찾는 문제는 뒤에 이어지는 대답과 자연스럽게 연결되는지 살펴보아야 합니다.

4 유사 관계의 낱말

마을 – 동네
산울림 – 메아리
어린이 – 아이
책방 – 서점

10 할머니께서 세 시쯤 '하율이네 집'에 도착하실 것 같다고 전해야 하므로 '댁'이 아닌 '집'을 써야 바른 표현이 됩니다. ⑤는 할머니께서 '할머니의 집'에 도착하게 된다는 내용이 됩니다.

11 할머니께서 시골로 가실 때면 하율이에게 용돈을 쥐어 주셨는데 이번에는 하율이의 표정이 좋지 않은 것으로 보아 용돈을 주시지 않았음을 알 수 있습니다.

12 '하늘을 나는', '소곤소곤', '베개'가 바른 표현입니다. ⑤는 자기 전에 '꼭' 양치질을 하라는 뜻이므로 '반듯이'가 아닌 '반드시'가 바릅니다.

13 '먼 바다에서 육지로 들어오는 배'에 대해 든 예가 '육지에서 먼 바다로 나가는 배'로 바뀌었으므로 육지에서 먼 바다로 나갈 때 실제로 배의 모습이 어떻게 보이는지 설명한 것을 찾아야 합니다.

지구가 평평하다면?	실제 모습은?
육지로 들어오는 배는 배 전체의 모습이 작게 보였다가 점점 크게 보일 것이다.	배의 윗부분이 먼저 보이고 점차 그 아랫부분이 보인다.
바다로 나가는 배는 커다란 배의 뒷모습이 점점 작아지는 것처럼 보일 것이다.	배의 아랫부분부터 점점 물속으로 가라앉는 것처럼 보인다.

14 갯벌은 육지에서 나오는 오염 물질을 분해해 좋은 환경을 만든다는 내용과 갯벌은 기후를 조절하고 홍수를 줄여 주는 역할을 한다는 내용을 담고 있으므로 ㉢에서 문단을 나누어 주는 것이 알맞습니다.

15 '우리 생활에 이로운 동물'에 대해 알고 싶다고 하였으므로 ③과 같이 갯지렁이가 오염 물질을 분해해 좋은 환경을 만들어 준다는 내용을 정리하는 것이 알맞습니다.

16 나비가 나는 모습만 보아도 암컷인지 수컷인지 알 수 있다는 내용, 나비를 잡아 이름을 붙였다는 내용을 통해 석주명이 나비를 연구하는 학자임을 짐작할 수 있습니다.

17 어떻게 해서든지 나비를 잡으려고 온 산을 헤매고 다닌 점에서 끈기가 강한 성격을 엿볼 수 있습니다.

18 삼 형제가 열심히 포도밭 곳곳을 갈아엎은 덕에 땅은 더 기름지고 잡초도 사라졌다고 하였으므로 그해 포도 농사가 잘되었다는 내용이 이어지는 것이 가장 어울립니다.

19 이야기를 통해 농부가 꾀를 내어 삼 형제가 포도밭을 열심히 일구게 한 것은 삼 형제의 성격이 게을러서 일을 잘 하지 않았기 때문이라는 것을 짐작할 수 있습니다.

10 예사말 → 높임말

집 → 댁 / 나이 → 연세
이름 → 성함 / 생일 → 생신
먹다 → 드시다
자다 → 주무시다

13 지구가 둥근 증거

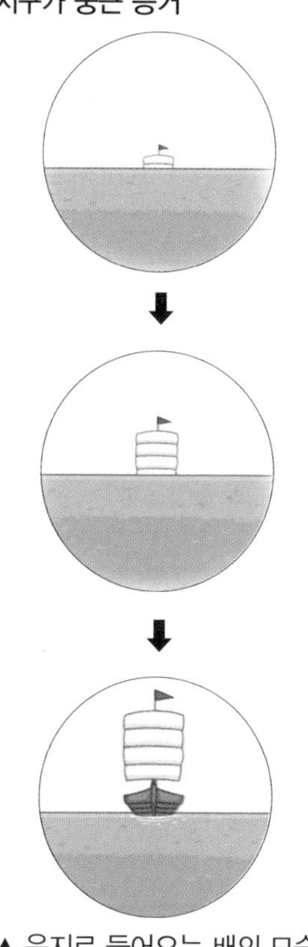
▲ 육지로 들어오는 배의 모습

17 인물의 성격은 인물이 한 말, 인물이 한 행동을 통해 알 수 있습니다.

정답과 풀이

20 '탕탕'은 공이 튀는 소리를, '까무룩'은 정신이 갑자기 흐려지는 모양을 흉내 내는 말입니다.

21 골목에서 울리는 공 튀는 소리가 방 안까지 들어와 이리 튕기고 저리 튕겨 다닌다고 표현하였습니다. 공 튀는 소리가 눈에 보이듯이 실감 나게 표현한 시입니다.

22 '엄청나다', '빠르다', '재밌다'가 성질이나 상태를 나타내는 낱말입니다. 국어사전에 실리는 첫 글자 첫소리의 차례를 살펴보면 '빠르다(ㅃ)' – '엄청나다(ㅇ)' – '재밌다(ㅈ)'의 순서입니다.

22 성질이나 상태를 나타내는 말, 움직임을 나타내는 말

성질 · 상태	움직임
예쁘다	걷다, 뛰다
많다, 적다	달리다, 놀다
어렵다	날다, 먹다

23 적혈구, 백혈구, 산소와 같이 사람이 아닌 대상을 사람처럼 표현하였고 우리 몸의 핏줄을 여행하는 사건이 펼쳐지고 있습니다.

24 적혈구가 아기 산소를 집에 데려다주는 사건이므로 우리 몸에서 적혈구가 산소를 운반하는 역할을 하고 있음을 알 수 있습니다.

25 '음식을 골고루 먹어야 한다'를 주제로 하여 주장하는 글을 쓸 때 '내가 즐겨 먹는 음식'은 주제를 드러내기 위한 직접적인 내용이 아닙니다.

25 주장하는 글
어떤 일에 대한 글쓴이의 의견을 나타내는 글. 주장에 대한 근거가 함께 제시됨.

26 하이만의 불편한 점을 해결하기 위해 지우개 달린 연필이 발명되었다는 내용이므로 ③과 같은 문장이 어울립니다.

왜 틀렸을까?
①– 주어진 내용이 발명이 세상을 바꾸게 되었다는 내용은 아닙니다.
②– 주어진 내용이 발명과 발견의 차이점에 대해 설명하고 있지 않습니다.
④– 하이만이 지우개 달린 연필을 발명한 결과와는 관련이 없는 말입니다.

27 ㉢을 중심 문장으로 하면 ㉠, ㉡, ㉤과 같은 뒷받침 문장을 연결할 수 있습니다.

28 두 개의 낱말이 합쳐져 새로운 낱말을 만든 예가 아닌 것은 '고구마'입니다. 고구마는 외래어로 두 개의 낱말로 나눠지지 않습니다.

28 외래어: 외국에서 들어와 국어에서 널리 쓰이는 말
㉮ 라디오, 텔레비전, 컴퓨터

29 하루에 두 시간 이상 스마트폰을 사용하는 것이 스마트폰 중독인지는 글의 내용이나 그래프를 통해서 정의하고 있지 않습니다.

왜 틀렸을까?
③ 하루 네 시간 이상 스마트폰을 사용한다고 대답한 초등학생의 수
: 4~6시간 사용하는 초등학생 73명 + 6시간 이상 사용하는 초등학생 42명 = 115명
④ 하루 두 시간 이하로 스마트폰을 사용한다고 대답한 초등학생의 수: 1~2시간 사용하는 초등학생 154명 + 1시간 미만 사용하는 초등학생 64명 = 218명

30 남학생들이 스마트폰 게임 시간을 줄여야 하는 것은 맞지만 그 대신 SNS를 통해 대인 관계를 넓히는 것은 또 다른 스마트폰 사용 원인이 되기 때문에 적절한 방법으로 보기 어렵습니다.

실전 모의고사 2회

교재 | 60 ~ 77쪽

문항 번호	정답	대영역	중영역	평가 내용	난이도	배점
1	②	듣기·말하기	사실	대화의 내용 파악하기	보통	3점
2	②	듣기·말하기	추론	대화 상황에서 행동의 의미 짐작하기	보통	3점
3	⑤	듣기·말하기	비판·감상	적절한 표정, 몸짓, 말투로 말하기	쉬움	3점
4	①	어휘	의미	낱말의 다양한 의미를 문장에 알맞게 쓰기	보통	3점
5	④	어휘	개념	표현하고자 하는 의도에 알맞은 낱말 쓰기	보통	3점
6	②	읽기	내용 확인	글의 중심 내용에 알맞은 중심 문장 파악하기	보통	3점
7	②	읽기	내용 확인	글을 읽고 주요 내용 파악하기	보통	3점
8	②	읽기	추론	글을 읽고 낱말, 문장, 내용 추론하기	보통	3점
9	②	읽기	내용 확인	글의 짜임을 생각하며 읽기	어려움	3점
10	⑤	읽기	평가·감상	글쓴이의 주장 파악하기	보통	3점
11	③	읽기	평가·감상	글을 읽고 주장과 근거의 적절성 판단하기	어려움	5점
12	①	어휘	관계	낱말의 관계를 통해 정확한 의미 파악하기	보통	3점
13	②	문법	문장·담화	높임 표현에 알맞은 문장 사용하기	보통	3점
14	⑤	읽기	추론	글 내용과 조건에 알맞은 제목 짐작하기	보통	3점
15	④	쓰기	표현·고쳐쓰기	주제에 알맞은 중심 문장과 뒷받침 문장 갖추어 문단 쓰기	어려움	4점
16	④	문학	수용과 생산	이야기를 읽고 인물의 마음 짐작하기	쉬움	3점
17	⑤	문학	수용과 생산	인물의 말이나 행동의 까닭 짐작하기	보통	3점
18	④	문학	지식	이야기의 구성 요소 중 인물에 대해 알기	쉬움	3점
19	④	문학	수용과 생산	흐름을 파악하여 이어질 내용 짐작하기	보통	4점
20	⑤	읽기	내용 확인	글 속 인물의 처지, 마음, 특성 이해하기	어려움	3점
21	③	읽기	평가·감상	글을 읽고 타당한 내용인지 판단하기	어려움	4점
22	④	문학	지식	시 속 인물의 생각이나 느낌 이해하기	어려움	3점
23	④	문법	발음·표기·규범	맞춤법에 맞게 쓰기	어려움	4점
24	④	문법	발음·표기·규범	규칙에 맞게 띄어쓰기	보통	3점
25	①	문법	문장·담화	상황에 알맞은 문장을 맞춤법에 맞게 쓰기	어려움	4점

정답과 풀이

26	②	쓰기	내용 생성	주제나 화제에 알맞은 내용 떠올리기	쉬움	3점
27	②	쓰기	내용 조직	개요에 맞게 글 내용 구성하기	보통	4점
28	③	읽기	추론	광고의 의도나 주장을 파악하며 읽기	어려움	4점
29	④	어휘	확장	같은 방법으로 만들어진 낱말 알기	보통	3점
30	④	문학	지식	감각적 표현의 효과 알기	보통	4점

풀이

1 대화에서 이야기한 "어디 좀 보자."는 대화 상황으로 보아 의사 선생님이 수영이가 다친 무릎 부위를 보자고 한 말이므로 다친 곳의 상태가 어떠한지 보여 달라는 의미입니다.

2 아들은 어머니의 말에 마스크를 챙기지 않은 사실을 알고 놀라서 손뼉을 쳤습니다.

3 선생님의 나무라는 말에 동호는 작은 목소리로 고개를 숙이며 "네."라고 말하는 것이 어울리고, 선생님께서 용서해 주셨을 때는 밝은 표정과 목소리로 "네!"라고 말하는 것이 어울립니다.

4 '연하다'는 재질이 무르고 부드럽다(③, ⑤), 빛깔이 옅고 산뜻하다(②), 농도가 진하지 않고 묽다(④) 등의 뜻으로 쓰입니다.

5 '까무룩'은 정신이 갑자기 흐려지는 모양을 나타내는 말입니다.
㉮ 노인은 까무룩 잠이 들었다.

6 이어지는 문장에서 로봇이 하는 여러 가지 일에 대해 설명하고 있습니다.

왜 틀렸을까?
사람이 할 수 없는 일을 한다는 내용이나 사람이 하는 일만 할 수 있다는 내용은 이어지는 내용과 맞지 않으므로 정확한 중심 문장이 될 수 없습니다.

7 닭싸움 놀이는 상대를 밀어 넘어뜨리는 놀이이므로 혼자서도 할 수 있는 놀이는 아닙니다.

8 한쪽 다리를 들어 올려 두 손으로 잡고, 다른 다리로 균형을 잡아 깨금발로 뛴다고 하였으므로 '깨금발'이란 한 발을 들고 한 발로만 서는 자세를 뜻함을 짐작할 수 있습니다.

9 지구를 깨끗이 하기 위해 비닐봉지를 적게 쓰고, 일회용 컵을 적게 쓰고, 일회용 나무젓가락을 적게 쓰자고 세 가지 방법을 나열하고 있습니다.

10 종이컵이나 비닐봉지, 일회용 접시와 일회용 칫솔은 모두 글쓴이가 적게 쓰자고 주장한 일회용품에 해당합니다.

11 일회용 컵을 적게 쓰고 여러 번 쓸 수 있는 컵을 사용하자고 하였으므로

평가 개념과 도움말

1 대화에서 말의 정확한 의미를 찾으려면 대화의 앞뒤 내용을 살펴보아야 합니다.

6 중심 문장은 이어지는 뒷받침 문장의 내용을 모두 포함할 수 있는 것이어야 합니다.

8 깨금발 자세

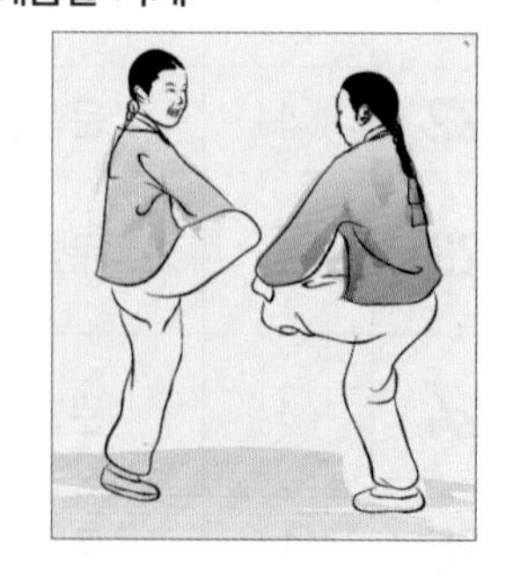

'유리컵'은 일회용 컵을 대신할 수 있는 대안이 됩니다.

12 내일의 다음 날은 '내일모레' 또는 '모레'라고 하였으므로 '모레'와 '내일모레'는 같은 날을 뜻합니다.

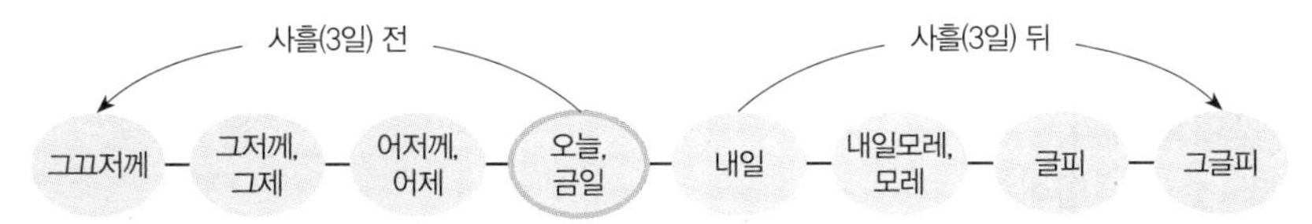

13 '어버이날'은 '날짜'를 가리키는 말이므로 높임의 대상이 아니어서 높여 주지 않습니다. '어버이날이 오시면'은 그래서 잘못된 표현입니다.

13 웃어른이 아닌 대상을 높이는 것은 잘못입니다.
예) 음료 나오셨습니다.(×)
→ 음료 나왔습니다.(○)

14 글에서 설명하는 대상은 '여러 가지 한과(옛날에 먹던 과자)'이고, 묻는 문장으로 읽는 이의 관심을 끄는 제목이어야 하므로 ⑤와 같은 제목이 가장 알맞습니다.

15 약과와 강정에 대해 소개할 때 약과와 강정은 어떻게 만드는 과자인지를 중심 문장에서 설명하였으므로 엿은 어떻게 만드는 과자인지 간단히 소개하는 문장이 중심 문장으로 알맞습니다.

15 이 글의 짜임

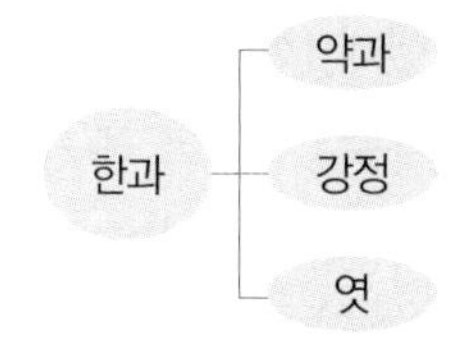

16 오성은 자기네 감이라고 우기는 하인에게 어이없다는 듯이(너무 뜻밖이어서 기가 막히다는 듯이) 말하였을 것입니다.

17 하인은 감나무가 누구네 것인지를 기준으로 삼지 않고 감이 어느 집 가지에서 열렸는지를 기준으로 자기네 감이라고 하였으므로 ⑤와 같이 호박씨를 어느 집에 심었느냐보다 호박이 어느 집에서 열렸느냐를 기준으로 임자를 판단해야 한다고 생각할 것입니다.

18 이야기에서 말하는 이는 강아지 푸들입니다.

19 '녀석'이 '나(강아지)'를 묶고 있는 목줄을 잡아당겨 팽팽해졌으므로 '녀석'이 나를 데리고 어디론가 가려는 것임을 알 수 있습니다.

20 규리는 아침에 선생님께 꾸중을 들어 기분이 좋지 않았고 1교시 사회 시간에 발표 내용이 뒤죽박죽이 되어 역시 기분이 좋지 않았습니다. 3교시 음악 시간에는 친구에게 리코더 부는 방법을 가르쳐 주어 어깨가 으쓱해졌고, 방과 후에는 강아지를 쓰다듬으며 기분이 좋아졌습니다.

20 규리의 기분

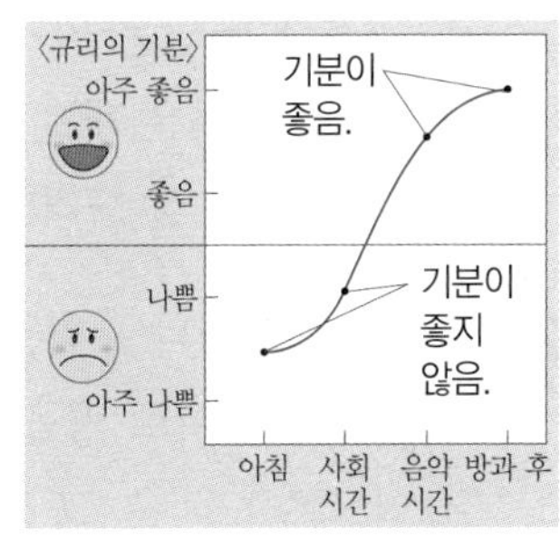

21 한글을 만든 이가 분명하다는 것이 한글이 세계 최고의 문자라는 의견을 뒷받침하지는 않습니다.

22 '나'는 국어 시험의 답을 '고마운 친구, 예의 바른 친구, 다정한 친구' 대신 모두 '공부 잘하는 친구'라고 썼습니다. '나'는 좋은 친구가 '공부 잘하는 친구'라고 생각하고 있고 평소에 공부를 잘해야 한다는 말을 자주 들었음을 짐작할 수 있습니다. 그래서 국어 시험이 빵점인데 '나는 정말 좋은 친구가 아닌가?' 하고 질문하고 있습니다. ④와 같이 '나' 스스로가 공부를 잘한다고 생각하는 것은 아닙니다.

정답과 풀이

23 '-든지'는 '가든지 오든지'와 같이 선택의 대상에 붙어서 쓰이고 '-던지'는 '얼마나 춥던지, 얼마나 어렵던지'와 같이 앞에서 먼저 일어난 일을 뒤에 오는 내용과 관련지어 말할 때 쓰입니다.

■ '-든지'와 '-던지'가 들어간 예

-든지	예 먹든지 말든지 마음대로 해라. 예 무엇을 하든지 나는 모르는 일이다.
-던지	예 어찌나 졸리던지 정신이 하나도 없었다. 예 아이가 얼마나 먹던지 배탈이 날까 봐 걱정이 됐다.

23 '-든지'와 '-던지'의 구분

-든지	• 선택의 의미 • '~말든지'와 붙어서 자연스러움.
-던지	• 과거에 있었던 일을 나타냄.

24 '필통∨속'과 같이 낱말과 낱말 사이는 띄어 쓰고 '연필∨두∨자루'와 같이 수를 나타내는 말과 단위를 나타내는 말도 띄어 씁니다.

25 '-데'는 직접 경험하여 알게 된 사실을 말할 때 쓰입니다. 예 현철이가 청소를 했데.(현철이가 청소를 하는 장면을 보고 그대로 전하는 경우) 반면에 '-대'는 '-다고 해'가 줄어든 말로 남한테 들은 사실을 다시 전할 때 쓰입니다. 예 현철이가 청소를 했대.(현철이가 청소를 했다고 해. → 현철이가 청소를 했다는 사실을 남에게 들어서 다시 다른 이에게 전하는 경우)

25 '-데'와 '-대'

-데	직접 알게 된 사실을 전하는 경우
-대	다른 이에게 들어서 알게 된 내용을 다시 전하는 경우

26 기행문에는 그곳을 여행한 과정과 그곳에서 보고 듣고 경험한 것, 그에 대한 생각이나 느낌을 중심으로 씁니다. '제주도와 독도의 거리'는 제주도 여행과 관련이 없는 내용입니다.

27 ㉠과 ㉣은 공기놀이를 하는 방법이나 규칙에 해당하므로 글의 개요 중 가운데 부분에 들어가야 하고, ㉡은 공기놀이의 좋은 점에 해당하므로 개요의 처음 부분에 들어갑니다. ㉢은 글쓴이의 바람으로 볼 수 있는 내용이므로 끝부분에 들어가는 것이 알맞습니다.

27 소개하는 글의 개요

처음	• 소개하는 까닭 • 대상에 대한 간단한 소개
가운데	• 소개하는 대상에 대한 자세한 내용 • 소개하는 대상의 자세한 특징
끝	• 소개하는 대상에 대해 마무리하는 내용

28 그림에서 왼쪽에 있는 일기는 목줄을 안 한 바둑이의 귀여운 느낌을 썼고, 오른쪽에 있는 일기는 목줄을 안 한 개의 무서운 느낌을 썼습니다. 목줄을 하지 않은 개는 누군가에게 무서움을 줄 수 있다는 의미로 ③에서 광고의 의도를 잘 드러내고 있습니다.

29 '가위로 자르거나 오리는 일(가위질)', '망치로 무엇을 두드리거나 박는 일(망치질)', '괭이로 땅을 파는 일(괭이질)', '바늘로 옷을 꿰매는 일(바느질)'이므로 '-질'은 '그 도구를 가지고 하는 일'을 더해 주는 말임을 알 수 있습니다.

30 ㈎는 개나리가 피고 진달래도 피었다는 내용을 단순히 서술하지만 ㈏는 개나리의 노란색과 진달래의 분홍빛을 보다 선명하게 떠오르게 해 줍니다. ㈏는 감각적 표현을 써서 대상의 느낌을 보다 생생하게 해 준다는 점에서 ㈎와 차이가 있습니다.

실전 모의고사 3회

교재 | 78 ~ 95쪽

문항 번호	정답	대영역	중영역	평가 내용	난이도	배점
1	②	듣기·말하기	사실	대화 상황에서 가리키는 말의 의미 파악하기	어려움	4점
2	①	듣기·말하기	추론	인물의 표정, 몸짓, 말투를 보고 의미 짐작하기	보통	3점
3	④	듣기·말하기	생성·조직	자료를 보고 일의 순서가 드러나게 말하기	보통	4점
4	③	어휘	의미	여러 가지 뜻으로 쓰이는 낱말 알기	보통	3점
5	②	어휘	개념	표현에 적절한 의미를 가진 낱말 사용하기	보통	3점
6	⑤	어휘	개념	여러 가지 낱말의 뜻과 의미 구분하기	보통	3점
7	④	어휘	확장	앞뒤 내용으로 낱말의 의미 추론하기	보통	3점
8	②	읽기	내용 확인	글을 읽고 중심 글감 파악하기	보통	3점
9	②	읽기	추론	뒷받침 내용을 근거로 중심 문장 추론하기	보통	3점
10	④	읽기	내용 확인	글의 주요 내용 이해하기	쉬움	3점
11	②	읽기	내용 확인	글쓴이가 전하려는 마음 알기	보통	3점
12	⑤	읽기	내용 확인	글을 읽고 글의 정보 파악하기	쉬움	3점
13	②	읽기	추론	글 짜임에 알맞은 이어질 내용 추론하기	보통	4점
14	④	문학	지식	이야기를 읽고 사건의 흐름 이해하기	보통	3점
15	②	읽기	평가·감상	글의 짜임을 생각하며 읽기	보통	3점
16	⑤	읽기	평가·감상	글을 읽고 타당한 내용인지 판단하기	어려움	4점
17	④	읽기	평가·감상	설명하는 내용을 그래프로 나타내기	어려움	4점
18	③	문학	지식	시에서 빗대어 표현한 대상 파악하기	보통	3점
19	③	문학	지식	문학적 표현의 의미 이해하기	보통	4점
20	③	문학	수용과 감상	작품에 대한 글쓴이의 생각 짐작하기	어려움	4점
21	⑤	문학	수용과 감상	작품에 대한 생각과 느낌 비교하기	보통	3점
22	④	문학	수용과 감상	작품에 대한 생각을 표어로 표현하기	보통	3점
23	③	쓰기	표현·고쳐쓰기	중심 내용에 어울리지 않는 내용 고쳐 쓰기	보통	3점
24	④	쓰기	내용 생성	글 흐름에 어울리는 내용으로 문단 쓰기	어려움	4점
25	③	쓰기	내용 조직	글쓰기 계획에 따라 쓸 내용 떠올리기	보통	4점
26	①	어휘	관계	포함 관계의 낱말 알아보기	쉬움	3점
27	③	문법	문장·담화	문장에서 높임 표현의 방법 구분하기	보통	4점

28	⑤	문법	발음·표기·규범	국어사전에서 낱말 찾는 방법 알기	보통	3점
29	②	문법	발음·표기·규범	맞춤법에 맞게 문장 쓰기	보통	3점
30	②	읽기	추론	이야기를 읽고 생략된 내용 추론하기	보통	3점

풀이

1 ㉠은 동수를 포함하여 4학년 형과 나람 초등학교에 다니는 친구들입니다. ㉡은 동수를 포함한 3학년 친구들이고, 동수는 가람 초등학교에, 나머지 친구들은 나람 초등학교에 다닙니다.

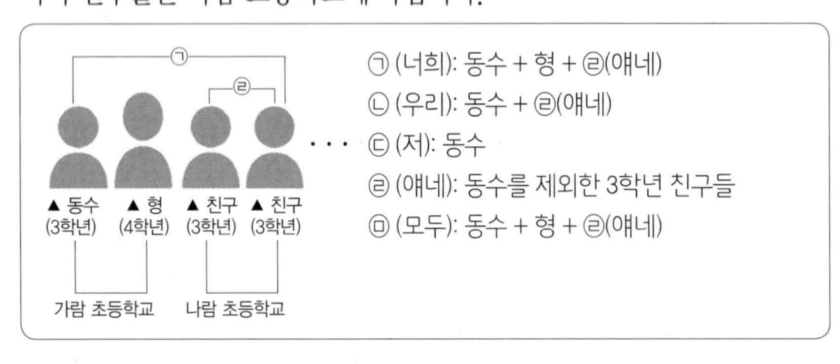

2 눈을 크게 뜨고 입을 벌린 것으로 보아 그림 속 인물이 깜짝 놀란 상황입니다. 깜짝 놀라서 하는 말로 가장 어울리는 것은 ①입니다.

3 경찰서를 지나 사거리가 나오면 오던 방향에서 오른쪽 방향으로 가야 합니다. 삼거리의 우체국을 지나 다시 사거리가 나오면 오던 방향에서 오른쪽 방향으로 시영아파트가 있습니다.

4 '땀이 나다', '새싹이 나다', '구멍이 나다'와 같이 '나다'는 어떤 것이 생기거나 발생하다의 뜻으로 폭넓게 쓰이는 낱말입니다.

5 '전에 본 적이 없어 익숙하지 않다.'의 뜻으로는 '낯설다'가 있습니다.

왜 틀렸을까?
① 어설퍼요: 하는 일이 엉성해요.
③ 낯익어요: 눈에 익고 친숙해요. '낯설어요'의 반대말.
④ 어수룩해요: 순진하고 어설퍼요.
⑤ 까마득해요: 매우 멀어 희미해요.

6 '용서를 빌다'의 뜻을 가진 '사과'의 '과'로 시작하고, 어린아이들이 다니는 교육 기관의 뜻을 가진 '유치원'의 '원' 자로 끝나는 낱말을 찾아야 합니다.

7 글의 내용으로 보아 '길일'이란 복과 재물이 들어오는 날, 큰일을 치르기에 좋은 날 등으로 짐작할 수 있습니다.

8 글의 전체적인 내용은 측우기가 왜 필요했고 어떤 역할을 하였는지 설명하고 있는 글입니다. '발명의 날'은 측우기의 가치를 설명하기 위해 서술

평가 개념과 도움말

1 너희, 우리, 얘네
너희: 듣는 이가 친구나 아랫사람이고 여럿일 때 가리키는 말
우리: 자신을 포함한 여러 사람을 가리키는 말.
얘네: '이 아이들'을 뜻하는 말.

3 시영아파트까지 가는 길

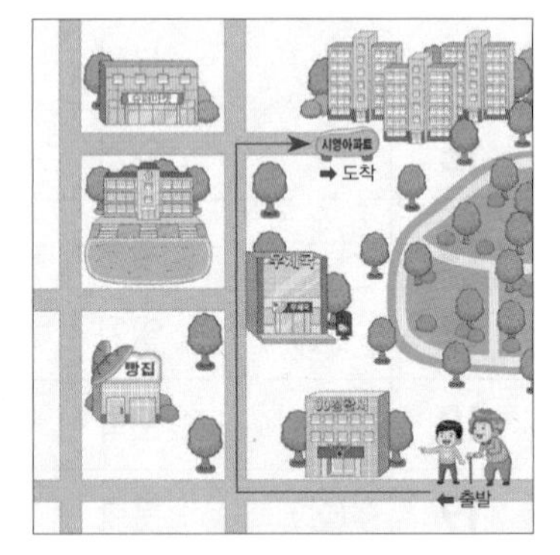

7 낱말의 뜻 짐작하기
① 낱말의 앞뒤 내용을 살펴 짐작합니다.
② 비슷한 다른 낱말을 넣어 뜻이 통하는지 살펴봅니다.

한 내용이므로 중심 글감으로 보기 어렵습니다.

9 이어지는 뒷받침 문장이 모두 바다에서 어떤 것을 얻을 수 있는지 설명하고 있으므로 중심 문장은 '우리는 바다에서 많은 것을 얻습니다.'가 가장 알맞습니다.

10 체육 시간에 달리기에서 진 민경이는 속상해서 나리에게 말도 제대로 하지 않았습니다.

11 민경이는 이 편지를 통해 가방을 들어 주어서 고마운 마음, 그동안 말도 제대로 하지 않아 미안한 마음을 전하고 있습니다. 달리기에서 져서 속상했다고 하였지만 편지를 통해 나리에게 전하고자 하는 마음이 속상한 마음은 아닙니다.

11 민경이의 편지에서 마음을 나타내는 말

고마웠어	기뻤어
속상했어	미안했어

12 여름에는 몸에 잘 붙지 않도록 까슬까슬한 옷감으로 한복을 만들어 입었습니다.

13 글의 첫 문장에서 입는 옷, 먹는 음식, 사는 집은 기후와 깊은 관련이 있다고 하였으므로 입는 옷에 대해서 설명한 다음에는 먹는 음식에 대해서 설명하는 것이 자연스럽습니다.

13 글에서 설명하고자 하는 내용을 알 수 있는 문장

> 입는 옷(①), 먹는 음식(②), 사는 집(③)은 기후와 깊은 관련이 있습니다.

14 엄마를 게임 속에 넣은 것은 엔트리봇이고 엄마가 게임 속에 들어가자 서준이는 깜짝 놀라고 당황하였습니다.

15 감기약을 올바르게 먹는 방법에 대해 네 가지로 나누어서 설명하고 있는 글이므로 ②와 같이 감기약을 먹는 방법 네 가지를 나열하여 나타내는 것이 알맞습니다.

16 언제 샀는지 모르는 감기약을 먹으면 오히려 더 큰 병에 걸릴 수 있다고 하였으므로 예전에 처방받은 감기약을 먹는 것은 옳은 방법이 아닙니다.

17 남자는 평균 20세에, 여자는 평균 17세쯤에 자신의 성인 키에 도달한다고 하였으므로 이 시기까지 키가 성장하다가 이후 성장이 멈추는 그래프를 찾아야 합니다.

왜 틀렸을까?

> 남자 여자 모두 성장 속도가 줄어든다는 것은 키가 자라는 속도가 줄어든다는 말이지 키 자체가 다시 줄어든다는 의미가 아닙니다. 따라서 20세 이후에 키가 줄어들지 않고 그 키를 그대로 유지하는 ④ 그래프가 글의 내용과 일치하는 그래프입니다.

17 남자 여자의 성장 그래프

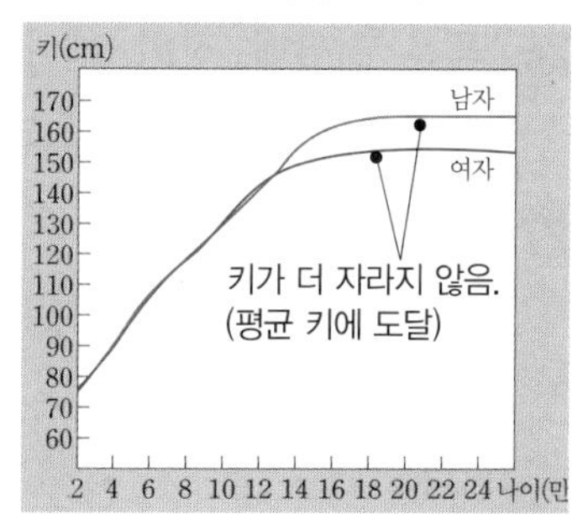

18 풀숲에서 만난 귀여운 '강아지'는 '강아지풀'을 빗대어 표현한 대상입니다.

19 '솜털같이 복슬복슬한 / 꼬리를 살랑살랑'에서 강아지풀과 강아지 털의 복슬복슬한 촉감을 떠올릴 수 있고, 살랑살랑 흔들리는 강아지풀의 모습과 강아지의 꼬리를 떠올릴 수 있습니다.

정답과 풀이

20 ㈎의 글쓴이는 거북이가 토끼를 이길 수 있었던 까닭은 경주를 포기하지 않았기 때문이라고 생각합니다. 거북의 노력과 끈기가 토끼의 자만심을 이길 수 있었다는 의미로 ③과 같은 말이 글쓴이의 생각을 잘 드러내어 줍니다.

21 ㈏의 글쓴이는 아무런 준비도 없이 무작정 토끼와 경주를 하자고 한 거북이가 잘못이라고 생각합니다. 따라서 ⑤와 같이 결과만 좋으면 잘한 일이라는 생각과는 거리가 있습니다.

22 ㈐의 글쓴이는 자고 있는 토끼를 깨우지 않고 경주를 한 거북이 정정당당하지 않았다고 생각합니다. 결과보다 정당한 승부를 강조한 표어는 ④가 알맞습니다.

왜 틀렸을까?

① 재물보다는 마음의 평화를!: 재물보다는 마음의 안정을 강조
② 먼 사촌보다 가까운 이웃을!: 친척보다 이웃과의 친목을 강조
③ 크고 높은 나무보다 작은 숲을!: 소박한 조화를 강조
⑤ 한 사람의 열 걸음보다 모두의 한 걸음을! : 개인이 아닌 공동체를 강조

21 글쓴이의 생각

㈎: 열심히 노력한 거북이 자만에 빠진 토끼를 이겼다.
㈏: 아무런 생각 없이 질 것이 뻔한 내기를 한 거북은 잘했다고 볼 수 없다.
㈐: 자고 있는 토끼를 깨우지 않은 거북은 정정당당한 승부를 하지 않았다.

23 내가 좋아하는 음식인 '떡볶이'에 대해 설명하고 있는 글이므로 가래떡에 대해 설명한 ㉢은 중심 내용과 어울리지 않는 문장입니다.

24 글의 내용으로 보아 운석이 지구에 충돌하여 공룡이 멸종했다는 이야기에 대해 설명하고 있습니다. 운석이 충돌하여 먼지 층이 햇빛을 막으면 지상의 온도가 떨어지고, 초식 공룡이 멸종하게 된다고 하였으므로 ㉡에는 초식 공룡이 멸종하게 되는 직접적인 원인에 대해 써 주는 것이 흐름상 자연스럽습니다.

24 ㉡을 넣어 문장 완성하기

지구를 덮은 먼지 층은 햇빛을 수년간 막고 지상의 온도는 떨어지며
↓
식물은 자랄 수 없게 된다.
↓ 따라서
곧 초식 공룡이 멸종하게 되고, 점차 초식 공룡을 먹이로 하는 육식 공룡도 사라지게 되었다는 이야기다.

25 '숲이 우리에게 주는 도움'에 대해서 가운데에는 그 구체적인 예를 설명하고 있으므로 ③과 같은 내용이 어울립니다.

26 '꽃'은 '진달래, 장미, 개나리, 해바라기'를 포함하는 말입니다. 마찬가지로 '계절'은 '봄, 여름, 가을, 겨울'을 포함하는 말입니다.

27 ㉠은 '-께'를 붙여 높임을 표현하였고, ㉡과 ㉤은 '-시-'를 넣어 높임을 표현하였습니다. ㉢은 '말'의 높임말이고, ㉣은 '주다'의 높임말이므로 ㉢과 ㉣이 높임의 뜻이 있는 특별한 낱말을 사용하여 높임을 표현한 경우입니다.

28 사물의 모양이나 상태를 나타내는 낱말은 '차갑다, 어렵다, 크다'입니다. 국어사전에는 첫 자음자의 순서가 빠른 순서대로 실리므로 이를 차례대로 늘어놓으면 '어렵다(ㅇ)-차갑다(ㅊ)-크다(ㅋ)'가 됩니다.

28 낱말의 종류

모양, 상태	움직임
크다, 작다 예쁘다 따뜻하다	먹다, 자다 달리다 던지다

29 '짝궁'은 '짝꿍'을 잘못 쓴 표현입니다.

30 전학 온 친구가 도시에서 공부를 잘하는 아이라고 짐작할 수 있는 내용은 나와 있지 않습니다.

실전 모의고사 4회

교재 | 96 ~ 112쪽

문항 번호	정답	대영역	중영역	평가 내용	난이도	배점
1	⑤	듣기·말하기	사실	대화에서 가리키는 말의 의미 파악하기	어려움	4점
2	⑤	듣기·말하기	추론	대화에서 비언어적 표현의 의미 짐작하기	보통	3점
3	③	듣기·말하기	비판·감상	대화 내용에 적절한 표정, 몸짓, 말투 찾기	쉬움	3점
4	⑤	어휘	개념	낱말의 다양한 의미와 쓰임 알기	보통	3점
5	⑤	어휘	의미	표현하고자 하는 의미에 알맞은 낱말 사용하기	보통	3점
6	②	읽기	내용 확인	글을 읽고 중심 내용 파악하기	보통	3점
7	④	읽기	내용 확인	글의 짜임과 개요를 생각하며 읽기	어려움	4점
8	②	어휘	관계	반의 관계의 낱말 찾기	보통	3점
9	④	읽기	내용 확인	글을 읽고 주요 내용 파악하기	보통	3점
10	⑤	읽기	내용 확인	글을 읽고 주요 내용 파악하기	보통	3점
11	④	읽기	추론	글을 통해 전하고자 하는 마음 파악하기	쉬움	3점
12	④	읽기	평가·감상	글을 읽고 인물의 가치 알아보기	어려움	4점
13	③	읽기	추론	내용에 알맞은 글의 제목 짐작하기	보통	3점
14	⑤	읽기	추론	글을 읽고 낱말, 문장, 내용 추론하기	보통	3점
15	⑤	읽기	평가·감상	주장과 근거의 적절성 판단하기	어려움	4점
16	①	읽기	평가·감상	글을 읽고 타당한 내용인지 판단하기	어려움	4점
17	③	문학	지식	이야기의 배경을 짐작하는 요소 찾기	보통	3점
18	⑤	문학	지식	작품 속 인물의 생각과 느낌 이해하기	어려움	4점
19	①	문학	수용과 감상	작품 속 인물의 마음 짐작하기	어려움	3점
20	④	문학	지식	문학 작품 속 표현의 의미 이해하기	쉬움	3점
21	③	문학	수용과 생산	이야기의 흐름과 인물의 마음 이해하며 감상하기	어려움	4점
22	②	읽기	추론	조사한 자료를 바탕으로 글의 내용 추론하기	보통	3점
23	①	문학	수용과 생산	문학적 표현의 의미 이해하기	보통	3점
24	①	문학	지식	작품을 읽고 표현적 특성 파악하기	쉬움	3점
25	⑤	문법	발음·표기·규범	맞춤법에 맞게 쓰기	어려움	4점
26	④	문법	문장·담화	높임 표현에 알맞은 문장 쓰기	쉬움	3점

정답과 풀이

27	⑤	쓰기	내용 생성	주제와 글의 종류에 알맞게 쓸 내용 떠올리기	쉬움	3점
28	②	쓰기	내용 조직	개요에 알맞은 내용 구성하기	보통	3점
29	④	쓰기	표현·고쳐쓰기	글 내용에 알맞은 관용 표현 쓰기	어려움	4점
30	③	문법	발음·표기·규범	규칙에 맞게 띄어쓰기	보통	4점

풀이

1 ㉡의 '저기'는 아버지가 처음 점심을 먹고 한 장소를 말하고, ㉤의 '저기'는 아버지가 두 번째로 점심을 먹고 한 다른 장소를 말합니다.

2 대화를 할 때 어깨를 들썩이며 두 손바닥을 들어 보이는 몸짓은 자신은 잘 모르거나, 자신은 관계가 없다는 의미 등을 나타냅니다.

3 선희의 생일 선물을 준비하지 못했다는 말은 미안한 마음을 드러낼 수 있는 표정이나 몸짓, 목소리가 어울립니다. 흔히 엄지손가락을 들어 보이는 몸짓은 상대에게 잘했다는 뜻이나 최고라는 뜻을 나타냅니다.

4 '맵다'는 맛이 맵다(①, ②), 날씨가 몹시 춥다(④), 연기가 코와 눈을 아리게 하다(③) 등의 뜻으로 쓰입니다. ⑤는 '끈을 매려고'와 같이 '매다'를 써야 바른 표현이 됩니다.

5 '성질이 보드랍지 못하고 매우 까다롭다.'의 뜻을 가진 낱말은 '까슬까슬하다'입니다.

> 왜 틀렸을까?
> ④ 우유부단한 – 어물어물 망설이기만 하고 결단성이 없는.
> 예 우유부단한 누나는 늘 무언가를 시작하려면 수십 가지를 먼저 생각해야 했다.

6 이어지는 내용이 설날에 하는 놀이, 정월 대보름에 하는 놀이, 단오에 하는 놀이에 대한 것이므로 중심 문장으로는 '우리나라에는 명절마다 하는 놀이가 있습니다.'가 가장 알맞습니다.

7 자전거와 오토바이에 대한 공통점과 차이점을 설명하고 있는 글입니다. 어떤 두 대상을 비교하거나 대조하여 공통점과 차이점을 설명하는 글은 ④와 같은 틀을 사용하여 정리하는 것이 알맞습니다.

8 서로 반대되는 뜻을 가진 낱말을 짝지어 설명하고 있는 **| 보기 |**입니다. '좁다'의 반대말은 '넓다', '다르다'의 반대말은 '같다', '빠르다'의 반대말은 '느리다'입니다.

9 '팔목'은 '손목'과 같은 부분을 뜻하는 말로 팔과 손이 잇닿은 부분을 뜻합니다.

10 ㉠은 팔의 윗부분인 '위팔'을 나타내고 ㉡은 '오금', 또는 '팔오금'입니다.

평가 개념과 도움말

1 여기, 저기, 거기
여기 – 말하는 이에게 가까운 곳
저기 – 말하는 이나 듣는 이로부터 멀리 있는 곳
거기 – 듣는 이에게 가까운 곳이나 앞에서 이미 이야기한 곳

4 '맵다'와 같이 두 가지 이상의 뜻을 가진 낱말을 '다의어'라고 합니다.

> 예 다리: ① 신체의 다리
> ② 책상 다리
> ③ 안경 다리

7 글의 짜임

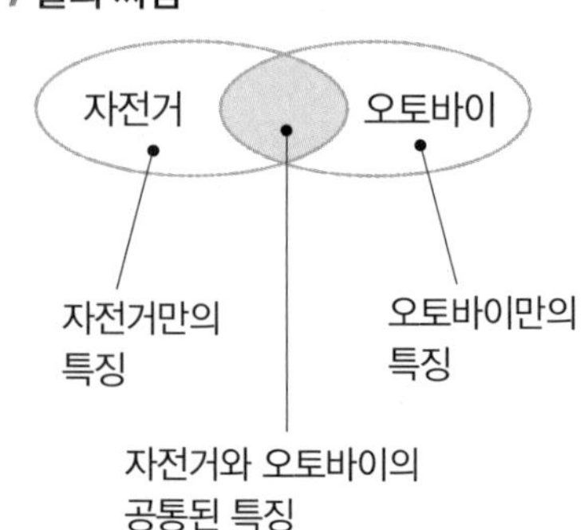

㉢은 팔의 아랫부분인 '아래팔'을 나타냅니다.

11 줄넘기 연습을 열심히 하는 호준이가 기특하고 대견하다고 하였고, 상을 받지 못한 호준이를 위로하고 격려하는 마음을 전하였습니다.

글 내용	전하고자 하는 마음
네가 기특하고 대견하다고 생각했어.	대견해하는 마음
많이 속상했지?	위로하는 마음
포기하지 않고 꾸준히 연습하면 다음에는 더 좋은 결과가 있을 거야.	응원하는 마음 격려하는 마음

11 마음을 전하는 글: 상대에 대한 자신의 마음을 드러내어 표현하는 글로 대표적으로 편지가 있습니다.

12 '편리한 생활은 종종 우리가 고마워해야 할 모든 사람들을 잊게 만든다.'라는 말에서 나를 둘러싼 많은 이들의 수고와 정성에 감사한 마음을 가져야 한다는 생각을 전하고 있음을 알 수 있습니다.

13 과학 실험을 안전하게 하기 위해 지켜야 할 점을 말하고 있습니다. 따라서 ③과 같은 제목이 알맞습니다.

13 글의 제목은 글 전체의 내용을 담아 짓습니다. 특히 주장하는 글은 글쓴이의 주장이 잘 드러나게 짓는 것이 좋습니다.

14 글의 중심 내용은 과학 실험을 안전하게 하는 방법이므로 ⑤와 같이 과학 실험을 할 때 지켜야 할 점과 관련된 내용이 이어지는 것이 알맞습니다.

15 실험할 때 책상에 바짝 다가가면 어떠한 점이 위험한지를 근거로 드는 것이 좋습니다.

16 급식실의 안전사고를 막기 위한 수칙을 설명하고 있으므로 지켜야 할 수칙이 '안전'과 관련되기 때문이라는 근거를 들어야 합니다. 식판을 항상 두 손으로 바로 들어야 하는 까닭은 식판을 떨어뜨려 다칠 위험이 있다는 식의 근거가 알맞습니다.

왜 틀렸을까?

여러 사람의 정성이 들어간 음식을 소중히 해야 하기 때문에 식판을 두 손으로 바로 들자(①)는 말은 타당해 보일 수 있지만 글을 쓴 목적이나 주장하는 까닭에 적절한 근거는 아닙니다. 식판을 바로 들지 않으면 왜 위험한지를 근거로 드는 것이 자연스럽습니다.

16 제시한 글의 짜임

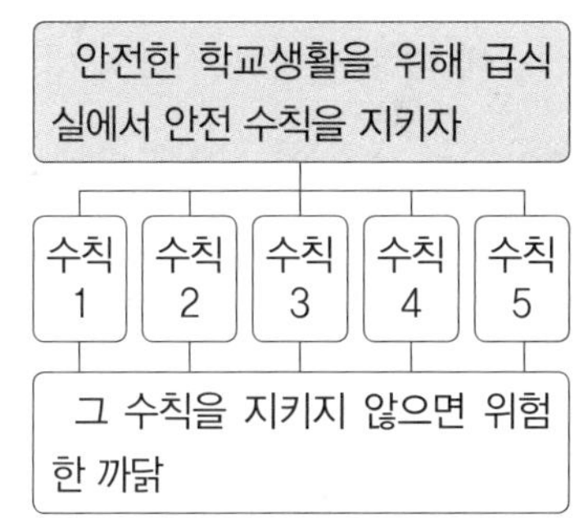

17 '선생님, 칠판, 새 학기, 자기소개'는 모두 '새 학기에 학교 교실에서 일어나는 일'임을 짐작할 수 있는 말입니다.

18 ㉠의 앞뒤 내용으로 보아 여러 사람을 대하는 나의 모습은 여러 가지이기 때문에 자신을 한 마디로 설명하기가 어렵다는 의미로 쓰였음을 알 수 있습니다.

19 자기소개를 한 첫 번째 친구와 두 번째 친구는 모두 자신감이 넘치고, 다른 친구들보다 좋은 환경에 놓여 있음을 은근히 자랑하고 있습니다.

20 "끄응, 끄응."은 누렁이가 달아난 뒤에도 계속 났습니다. 배수로에 빠진 누런 강아지가 배수로에서 기어오르려고 내는 소리였습니다.

21 이야기에서 '내'가 누렁이에게 받았다고 말한 '오해'는 어미 개가 '나'의 의도를 잘못 파악한 일을 말합니다. 누렁이가 '내'가 자기를 해치려는 줄 알고 달아난 일, 누렁이가 제 새끼를 해치려는 줄 알고 '내' 종아리를 문 일이 그 오해에 해당합니다.

22 양식 메뉴에 '스테이크'가 들어 있지 않으므로 스테이크가 양식 메뉴 중 친구들에게 인기 없는 음식인지는 알 수가 없습니다.

23 시에서 말하는 이는 마당에 내리는 소나기 소리를 듣고 있습니다.

24 소나기 내리는 소리를 콩을 쏟는 소리와 실로폰 소리에 빗대어 실감 나게 표현하고 있는 시입니다.

25 '학용품이에요'와 같이 앞말에 받침이 있으면 '이에요'가 쓰이고, '얼마예요'와 같이 '-이에요'는 '-예요'로 줄여 쓸 수 있습니다. '수경이'에 '-이에요'가 붙으면 '수경이예요'가 됩니다.

26 '드리다'는 아랫사람이 윗사람에게 무언가를 줄 때 쓰는 높임 표현입니다. 따라서 '할머니께서 (나에게) 용돈을 드리셨다'는 '할머니께서 (나에게) 용돈을 주셨다'로 고쳐야 합니다.

27 인사를 잘하는 어린이가 되자고 주장하는 글을 쓰려고 하므로 인사를 해야 하는 까닭으로 인사를 하면 좋은 점 등을 쓸 수 있습니다. ⑤는 인사에 대해 설명하는 글의 내용으로 알맞습니다.

28 어떤 내용을 순서와 차례대로 설명하는 개요도이므로 어떤 일을 하는 방법이나 일의 차례를 설명하는 내용에 어울립니다.

29 '아무리 훌륭한 책이 많이 쌓여 있어도 내가 스스로 읽지 않으면 책은 지식이 아니고 장식품일 뿐'이라고 하였으므로 ④와 같이 아무리 훌륭한 물건이라도 쓸모 있게 다듬고 활용하여야 가치가 있다는 뜻을 드러내는 속담이 알맞습니다.

왜 틀렸을까?

① 가는 날이 장날 – 어떤 일을 하려고 하는데 뜻하지 않은 일을 우연히 당함.
② 낫 놓고 기역 자도 모른다 – 아주 무식함을 비유적으로 이르는 말.
③ 업은 아이 삼 년 찾는다 – 가까이에 있는 것을 모르고 엉뚱한 데에 가서 오래도록 찾아 헤맴.
⑤ 호랑이에게 물려 가도 정신만 차리면 산다 – 아무리 위급한 경우를 당해도 정신만 똑똑히 차리면 벗어날 수 있음.

30 '백군∨대∨청군', '오이,∨가지,∨양파', '어쩔∨수∨없이', '할∨수밖에', '첫∨번째로'와 같이 띄어 써야 합니다

21 누렁이가 달아난 뒤에도 "끄응, 끄응." 소리가 들렸으므로 누렁이(어미 개) 가 낸 소리는 아닙니다.

25 '-이에요'와 '-예요'
'-이다'에 '-에요'가 붙은 '-이에요'는 '-예요'로 줄어듭니다. 따라서 '-이예요'로 줄여 쓰는 것은 틀린 표현입니다. '호랑이예요', '영숙이예요'는 앞말에 '-이예요'가 붙은 것이 아니라 '호랑이', '영숙이'에 '-예요'가 붙은 형태입니다.

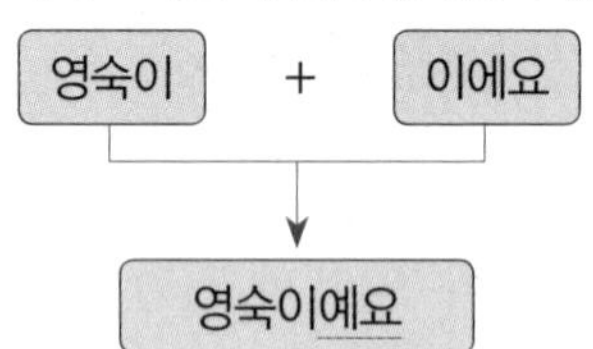

29 속담: 예로부터 전하여 오는, 교훈과 지식이 담긴 말.

꼭 알아야 할

사자성어

'호랑이는 죽어서 가죽을 남기고,
사람은 죽어서 이름을 남긴다.'는 속담을 알고 있나요?
착하고 훌륭한 일을 하면 그 사람의 이름이 후세에까지 빛난다는 뜻인데,
'입신양명'도 같은 의미로 사용되는 말이랍니다.
열심히 공부하는 여러분! '입신양명'을 응원합니다.

정답은
이 안에
있어.!

논술·한자교재

●YES 논술	1~6학년/총 24권
●천재 NEW 한자능력검정시험 자격증 한번에 따기	8~5급(총 7권) / 4급~3급(총 2권)

영어교재

●READ ME	
– Yellow 1~3	2~4학년(총 3권)
– Red 1~3	4~6학년(총 3권)
●Listening Pop	Level 1~3
●Grammar, ZAP!	Level 1~3
– 입문	1, 2단계
– 기본	1~4단계
– 입문	1~4단계
●Grammar Tab	총 2권
●Let's Go to the English World!	Level 1~3
– Conversation	1~5단계, 단계별 3권
– Phonics	총 4권

예비중 대비교재

●천재 신입생 시리즈	수학 / 영어
●천재 반편성 배치고사 기출 & 모의고사	

월간교재

●NEW 해법수학	1~6학년
●월간 무듬샘평가	1~6학년

배움으로 행복한 내일을 꿈꾸는

천재교육 커뮤니티 안내

교재 안내부터 구매까지 한 번에!

천재교육 홈페이지

천재교육 홈페이지에서는 자사가 발행하는 참고서,
교과서에 대한 소개는 물론 도서 구매도 할 수 있습니다.
회원에게 지급되는 별을 모아 다양한 상품 응모에도
도전해 보세요.

구독, 좋아요는 필수! 핵유용 정보 가득한

천재교육 유튜브 <천재TV>

신간에 대한 자세한 정보가 궁금하세요?
참고서를 어떻게 활용해야 할지 고민인가요?
공부 외 다양한 고민을 해결해 줄 채널이 필요한가요?
학생들에게 꼭 필요한 콘텐츠로 가득한 천재TV로 놀러오세요!

다양한 교육 꿀팁에 깜짝 이벤트는 덤!

천재교육 인스타그램

천재교육의 새롭고 중요한 소식을 가장 먼저 접하고 싶다면?
천재교육 인스타그램 팔로우가 필수!
누구보다 빠르고 재미있게 천재교육의 소식을 전달합니다.
깜짝 이벤트도 수시로 진행되니 놓치지 마세요!